U0136800

中國美術全集

中國美術全集

石窟寺雕塑一

全國百佳圖书出版單位
ARTTIME 時代出版
時代出版傳媒股份有限公司
黄山書社

☆ 國家出版基金項目

圖書在版編目（CIP）數據

中國美術全集·石窟寺雕塑/金維諾總主編，李裕群卷主編.—合肥：黄山書社，2010.6

ISBN 978-7-5461-1361-6

I.①中… II.①金… ②李… III.①美術—作品綜合集—中國—古代 ②石窟—石雕—中國—圖集 IV.①J121②K879.32

中國版本圖書館CIP數據核字（2010）第111982號

中國美術全集·石窟寺雕塑

總 主 編：金維諾　　卷 主 編：李裕群　　責任印製：李曉明
責任編輯：宋啓發　　封面設計：蠹魚閣　　責任校對：李　婷

出版發行：時代出版傳媒股份有限公司(http://www.press-mart.com)
黄山書社(http://www.hsbook.cn)
（合肥市翡翠路1118號出版傳媒廣場7層　郵編：230071　電話：3533762）
經　　銷：新華書店
印　　刷：北京雅昌彩色印刷有限公司

開本：889×1194　1/16　　印張：58.625　　字數：152千字　　圖片：1016幅
版次：2010年11月第1版　　印次：2010年11月第1次印刷
書 號：ISBN 978-7-5461-1361-6　　定價：1800圓（全三册）

《中國美術全集》編纂委員會

《中國美術全集》出版編輯委員會

凡　例

一、編　排

1.本書所選作品範圍爲中國人創作的、反映中國文化的美術品，也收録了少量外國人創作的，在中外文化交流史上具有代表性的美術品，如唐代外來金銀器、清代傳教士郎世寧的繪畫作品等。

2.根據美術品的表現形式和質地，共分爲二十餘類，合爲卷軸畫、殿堂壁畫、墓室壁畫、石窟寺壁畫、畫像石畫像磚、年畫、岩畫版畫、竹木骨牙角雕琺琅器、石窟寺雕塑、宗教雕塑、墓葬及其他雕塑、書法、篆刻、青銅器、陶瓷器、漆器家具、玉器、金銀器玻璃器、紡織品、建築等二十卷，五十册。另有總目録一册。

3.各卷前均有綜述性的序言，使讀者對相應類别美術品的起源、發展、鼎盛和衰落過程有一個較爲全面、宏觀的瞭解。

4.作品按時代先後排列。卷軸畫、書法和篆刻卷中的署名作品，按作者生年先後排列，佚名的一律置于同時期署名作品之後。摹本所放位置隨原作時間。

5.一些作品可以歸屬不同的分類，需要根據其特點、規模等情况有所取捨和側重，一般不重複收録。如雕塑卷中不收録玉器、金銀器、瓷器。當然，青銅器、陶器中有少數作品，歷來被視爲古代雕塑中的精品（如青銅器中的象尊、陶器中的人形罐等），則酌予兼收。

6.爲便于讀者瞭解大型美術品的全貌，墓室壁畫、紡織品等類别中部分作品增加了反映全貌或局部的示意圖。

二、時間問題

7.所選美術品的時間跨度爲新石器時代至公元1911年清王朝滅亡（建築類適當下延）。

8.遼、北宋、西夏、金、南宋等幾個政權的存在時間有相互重叠的情况，排列順序依各政權建國時間的先後。

9.新疆、西藏、雲南等邊疆地區的美術品，不能確知所屬王朝的（如新疆早期石窟寺），以公元紀年表示，可以確知其所屬王朝（如麴氏高昌、回鶻高昌、南詔國、大理國、高句麗、渤海國等）的，則將其列入相應的時間段中。

10.對于存在時間很短的過渡性政權，如新莽、南明、太平天國等，其間産生的作品亦列入相應的時間段中，政權名作爲作品時間注明。

11.某些政權（如先周、蒙古汗國、後金等）建國前的本民族作品，則按時間先後置于所立國作品序列中，如蒙古汗國的美術品放在元朝。

三、圖版説明

12.文字采用規範的繁體字。

13.對所選美術作品一般衹作客觀性的介紹，不作主觀性較强的評述。

14.所介紹内容包括所屬年代、外觀尺寸、形制特徵、内容簡介、現藏地等項，出土的作品儘量注明出土地點。由于資料缺乏或難以考索，部分作品的上述各項無法全部注明，則暫付闕如，以待知者。

四、目録及附録

15.爲了方便讀者查閲，目録與索引合并排印，在每一行中依次提供頁碼、作品名稱、所屬時間、出土發現地/作者、現藏地等信息。

16.爲體現美術作品發展的時空概念，每卷附有時代年表，個别卷附有分布圖，如石窟寺分布圖、墓室壁畫分布圖等。

五、其　他

17.古代地名一般附注對應的當代地名。當代地名的録入，以中華人民共和國國務院批準的2008年底全國縣級以上行政區劃爲依據。

18.古代作者生卒年、籍貫、履歷等情況，或有不同的説法，本書擇善而從，不作考辨。

中國美術全集總目

總目録
卷軸畫
石窟寺壁畫
殿堂壁畫
墓室壁畫
岩畫　版畫
年畫
畫像石　畫像磚
書法
篆刻
石窟寺雕塑
宗教雕塑
墓葬及其他雕塑
青銅器
陶瓷器
玉器
漆器　家具
金銀器　玻璃器
竹木骨牙角雕　珐琅器
紡織品
建築

中國石窟寺雕塑藝術

中國雕塑藝術源遠流長，從五千多年前遼寧牛梁河祭壇遺址出土的女神像，到氣勢恢弘的西安秦始皇陵兵馬俑，無不展現了中國古代雕塑藝術的輝煌成就。正是由于這種中國傳統文化的深厚底蘊，當西方的佛教及其石窟寺雕塑傳入中國後，便與中國傳統文化藝術不斷交融，創造出絢麗多彩的中國石窟寺雕塑藝術，成爲中國古代文化藝術中的一支奇葩。

佛教石窟寺是佛教思想和雕塑藝術的載體。它的開鑿與僧人修禪有着非常密切的關係。禪定是佛教徒一種修行的方式，需要有安静的環境，所以石窟寺開鑿地點一般選擇遠離城市喧囂、依山傍水、環境幽静的地方。按佛經的要求，修禪必須觀像，也就是要諦觀佛的種種相好，這樣静慮入定之後會出現種種見佛的幻境，達到心神與佛交融的境地。因此，許多石窟中又雕鑿了配合禪觀需要的佛教偶像。當然，除了與僧人習禪有關外，還有一點，就是僧俗信徒爲了修功德、祈福田，以便求得佛祖的保佑，這也是石窟寺能够在中國廣泛流行的動因之一。

石窟寺具有堅固耐久的特性。由于中國歷史上頻繁的戰争、火灾等諸多因素，以中國傳統土木結構爲主體的，唐代以前的地面佛寺早已蕩然無存，而大部分石窟寺却幸運地被保留下來了，爲我們留下十分珍貴的實物資料。中國石窟寺數以千計，從古代西域到中原大地，從雪域西藏到揚子江畔，都可以領略到异彩紛呈、魅力無窮的石窟寺雕塑藝術。聞名于世的敦煌莫高窟、大同雲岡石窟、洛陽龍門石窟和重慶大足石刻，這些被聯合國教科文組織列入世界文化遺産名録的石窟寺便是其中的杰出典範。當你置身在石窟寺藝術殿堂裏，面對高大雄偉、雕刻精美的佛教藝術品時，都會由衷地贊嘆我們祖先聰穎的智慧和非凡的創造力。

作爲佛教偶像崇拜重要表現形式和載體的石窟寺雕塑，經歷了一千多年的發展里程，幾度興衰。如果我們探尋她的發展軌迹，可以大致勾畫出石窟寺雕塑藝術由西向東，再由北而南的發展歷程。

新疆地區是中國石窟寺開鑿最早的地區。新疆在中國古代稱爲西域，自從漢代開通絲綢之路以後，這裏成爲中西文化的交匯之處，也是佛教雕塑藝術東傳的重要橋梁。由于這種特殊的地緣關係，至遲在公元2世紀，西域諸國受古代印度的影響，已大都信奉佛教，修營塔寺漸成風氣。其中龜兹國是西域諸國中的一個大國，其地東鄰焉耆，西接疏勒，扼控絲綢之路北道中段。大約到公元三四世紀，龜兹已成爲葱嶺以東的一個佛教中心。與盛行大乘佛教的于闐不同，龜兹流行重在修行的小乘佛教。約在公元4世紀前後，以龜兹爲中心的西域地區便開始雕鑿石窟了。

新疆石窟寺主要集中在塔里木盆地北緣，絲綢之路北道沿綫的緑洲地區。從西面的古代疏勒（今喀什一帶）到中部的龜兹（今庫車一帶）和東部的高昌（今吐魯番一帶）都有分布。新疆石窟寺都采用了塑像和壁畫的表現手法。塑像占據洞窟中顯要位置，是佛教信徒禮拜的主要偶像；壁畫則繪于諸壁及窟頂。由于自然和人爲的破壞，窟内塑像一般都很難保存下來。19世紀末到20世紀初，外國列强又肆意盗竊，石窟内殘存塑像也幾乎都被盗運到國外①，因此現在保留下來的主要是壁畫。

新疆石窟寺在以庫車、拜城爲中心的古龜兹地區最爲集中，洞窟數量多，規模大，而且石窟的開鑿從公元4世紀前後一直延續到公元13世紀，是新疆地區石窟寺的精華所在。典型石窟有拜城克孜爾石窟、庫車庫木吐喇石窟和森木塞姆千佛洞等。這些石窟寺中具有禮拜性質的洞窟原來均有雕塑，如規模較大的中心柱窟和大像窟。中心柱窟（或稱塔廟窟）是模擬地面佛塔而開鑿的一種洞窟形制，平面縱長方形，一般分爲主室、後室和中心柱三部分。主室縱券頂式；後室低矮窄小，横券頂式。中心柱正壁開龕，龕内原塑有釋迦坐佛像。後室的後壁設臺，上塑或繪出大型釋迦涅槃像。大像窟構造與中心柱窟類似，衹是將主室加高，中心柱正壁原來塑有高達10米以上的釋迦立佛。遺憾的是，這些大型雕塑有的僅存雙足及蓮座，有的僅留下雕塑形體的痕迹，衹能想象那昔日的輝煌。大像窟的後室也有大型涅槃像。從洞窟内劫餘殘存的佛像以及出土的殘存塑像看，這一地區的石窟寺雕塑具有鮮明的地方特點，佛像身着單薄貼體的袈裟，軀體粗壯，顯示了中印度秣陀羅佛像樣式的影響。菩薩像頭束髻、戴冠，蓬鬆而捲曲的長髮垂于雙肩上，臉龐渾圓，眉眼細長，窄鼻小嘴，畫出彎曲的髫鬚，頸下戴項圈，身披瓔珞，身體也顯得十分健壯。塑像與壁畫中的人物形象一樣，充滿着西域的風情。尤其是佛和菩薩渾圓的臉龐，與印度犍陀羅造像希臘式的和秣陀羅古印度式的面容有較大的差异，可以反映新疆佛教雕塑藝術是在融匯了西方佛教藝術和當地傳統文化的基礎上發展起來的，具有濃鬱的地方特色。

兩晋十六國時期，佛教得到了統治者的大力提倡和扶持，擺脱了早期對中國傳統的道家、方術和神仙的附庸關係，走向獨立發展的道路。以凉州（今甘肅武威市）爲中心的西北一隅是溝通長安與西域的重要交通路綫，也是佛教東傳的主要途徑。《魏書·釋老志》記載："凉州自張軌後，世信佛教。敦煌地接西域，道俗交得其舊式，村塢相屬，多有塔寺。"説明西晋以來，凉州佛教已相當興盛，修營塔寺蔚然成風。約在4世紀後期至5世紀初，古龜兹開鑿石窟寺的風氣逐漸影響到河西和隴東地區。在這個狹長的地帶中，分布着許多早期石窟寺，如創鑿于前秦建元二年（公元366年）的敦煌莫高窟、北凉開鑿的武威天梯山石窟、西秦開鑿的永靖炳靈寺石窟等。現存有明確紀年或有年代可考的石窟寺雕塑，當首推炳靈寺石窟第169窟了[②]。該窟爲一座天然洞穴，窟内造像多爲泥塑或石胎泥塑。根據窟内北壁第6龕西秦建弘元年（公元420年）的題記，可以看出窟内主要塑像和壁畫均屬西秦時期，這是目前唯一有十六國紀年的石窟寺，爲研究這一時期佛教雕塑提供了可資比較的時代標尺。西秦雕塑以第6龕最具代表性，龕内主尊爲無量壽佛，佛面相渾圓，長耳垂肩，大眼寬鼻，雙肩寬厚，身體尤顯雄壯，身着袒右式偏衫，雙手施禪定印，結跏趺坐于覆蓮座上。兩側分别爲觀世音和大勢至菩薩立像。菩薩均頭束高髻，長長的髮辮垂于肩上，臉龐豐圓，面帶微笑。頸下戴項圈，身體修長。披巾從雙肩搭下，繞手臂下垂，上身斜披絡腋，下身着裙，叉足立于蓮臺上。如第7龕立佛像亦面相渾圓，雙肩寬厚，身體雄壯，手施説法印，雙足叉立。身着通肩袈裟，左臂處有袈裟的衣邊，衣紋用陰綫刻劃，單薄貼體，透出健壯的軀體，頗有中印度秣陀羅佛像樣式的特點。窟内南壁還有三佛、五佛塑像，均身着通肩袈裟，軀體敦厚。窟内北壁上部有一坐佛龕，龕内塑佛三尊像，主尊爲結跏趺坐佛。佛左側塑一身披鎧甲的天王像，天王右手舉金剛杵，右側爲脅侍菩薩立像，左手持拂塵。這樣的組合十分獨特。

武威天梯山石窟爲北凉王沮渠蒙遜所開鑿，雕造年代約在北凉遷都凉州後（公元412年）至沮渠蒙遜去世以前（公元433年）。公元1927年武威大地震中，石窟曾遭受嚴重破壞。1958年因天梯山西側修建黄羊河水庫，對石窟内所存塑像和壁畫進行了搬遷和清理。現存洞窟中僅第18窟中心柱列龕内還有殘存的北凉塑像。第18窟是天梯山規模最大的洞窟，分前後室。後室中部雕中心塔柱，塔柱分上中下三層，每層均鑿龕，龕内佛像在明代曾經重妝，但從剥落的泥層處可以看到北凉佛像的原貌。佛像軀體健壯，身似着通肩袈裟，袈裟搭到左肩處留出衣邊[③]。這與出土的北凉石塔中的佛像相似。幸運的是，從第1、4窟搬遷的壁畫中還剥離出北凉時期菩薩像、蓮花化生、忍冬紋邊飾等壁畫。特别是壁畫中的北凉菩薩像别有特色，臉龐似古印度人，寬肩細腰，胯部扭動，反映了印度對西域文化藝術的影響。

在河西走廊還分布着許多早期石窟，如敦煌莫高窟、張掖金塔寺石窟、酒泉文殊山石窟等。雖然這些地點現存洞窟可能是北魏早期開鑿的，但仍屬于凉州石窟藝術風範。

敦煌莫高窟現存最早的是第268、272和275窟一組洞窟。第268窟後壁龕内塑一身交脚佛。第272窟後壁龕内塑造倚坐佛。第275窟後壁塑一身交脚彌勒菩薩像，兩側壁上段各開二個闕形龕和一個對樹形龕，龕内分别塑交脚菩薩和思惟菩薩。這種漢式的闕形龕可能象徵着彌勒菩薩所居的兜率天宫，是敦煌早期洞窟富有特色的龕形④。

金塔寺石窟衹有東窟和西窟兩個洞窟，均爲方形、覆斗頂的中心柱窟，前壁已坍塌。東窟規模較大，中心柱三層四面開龕。下層每面正中開一圓拱龕，龕内塑一身結跏趺坐佛像，龕外兩側塑二菩薩或二弟子像。中層每面各開三個圓拱形淺龕，龕内塑佛像，其中東西壁中龕内爲交脚佛，西壁南龕爲釋迦苦修像。佛像身後塑半身菩薩像、千佛和飛天等。上層塑出十佛和十一菩薩像。西窟規模略小，中心柱也分上中下層。下層每面各開一龕，龕内塑一結跏趺坐佛。中層依壁塑像，正壁主尊爲明代塑菩薩像，其他三壁分别爲交脚佛、半跏思惟菩薩和倚坐佛，造像組合形式比較特殊⑤。

文殊山石窟保存有塑像和壁畫的洞窟均爲中心柱窟。保存較好的有前山千佛洞中心柱上下二層，龕内均塑一結跏趺坐佛，龕外兩側塑脅侍菩薩像。佛像頭均毁，身體寬厚，雙手施禪定印。身着通肩袈裟，左肩外有衣邊，袈裟上用細陰綫刻劃出田相格。菩薩像上身袒露，披巾繞雙臂外揚，刻折帶紋，下身着裙。

西北地區的早期佛教雕塑藝術，以塔廟窟爲主要禮拜窟，無論佛、菩薩還是其他塑像都以體格碩壯爲其特點，造型古樸典雅，塑造精細。這與古代西域佛教雕塑有着密切的關係，同時也可能受到東部長安和洛陽佛教藝術的影響，可以説是融會了中西佛教文化的精髓而創造出來的，在中國雕塑藝術史上占有重要地位，故稱之爲“凉州模式”⑥。

公元439年，北魏滅北凉，統一中原北方地區，凉州佛教遂即輸入魏都平城（今山西大同市）。凉州佛教盛行禪法，又有開窟造像的傳統，這爲平城石窟寺的開鑿創造了條件。北魏文成帝和平元年（公元460年）復法以後，由皇室和凉州禪僧主持在平城西武州山開鑿了雲岡石窟，開創了北方地區雕鑿石窟的先例。雲岡最早的洞窟是第16－20窟，由凉州禪僧沙門統曇曜爲北魏皇帝開鑿的，故稱爲“曇曜五窟”。洞窟東西毗鄰，規模宏大，平面馬蹄形，穹隆式窟頂。這種形制與龜兹式的大像窟不同，更像古代游牧民族常用的穹廬形式。窟内雕刻三世佛，正壁主尊均爲高達15－17米的巨形佛像，兩側爲形體略小的佛像。第18窟菩薩像上方還雕刻形態各异的高浮雕弟子群像，有的深目高鼻，笑容可掬，爲胡人形象。造像的形象特點突出，佛和菩薩廣額方頤，神情莊重，身體魁偉，表現了北魏拓跋鮮卑民族果敢彪悍的形象。佛身着通肩袈裟或袒右式袈裟。菩薩斜披絡腋，下着長裙。這種造型與服飾明顯受到西方造像樣式的影響，如第20窟主尊佛像衣紋分叉和厚重的服飾明顯具有犍陀羅造像風格的特點，第18窟主尊衣紋單薄貼體的服飾接近于印度笈多時期秣陀羅造像樣式，同時也受到十六國時期造像樣式的影響，如袒右式袈裟在右肩處覆于偏衫，使右臂不至于完全袒露。袈裟的衣邊刻出“Z”形的折帶紋。無論是袒右式還是通肩式，袈裟從右肩繞向左肩時，并不完全搭到後背，而是在左臂處留出了寬大的衣邊。這種着衣方式與北凉和西秦佛像一致。更重要的是，這組洞窟是曇曜爲太祖道武帝以下五帝所造，五尊主佛是“令如帝身”的模擬像，反映了北魏皇帝即是“當今如來”的特殊歷史背景。

繼“曇曜五窟”之後開鑿的有第7、8窟，9、10窟，5、6窟，1、2窟和第11－13窟。這些洞窟的開鑿約在北魏遷都洛陽前的孝文帝時期，主要有大像窟、中心柱窟、方形和横長方形窟，流行成組的雙窟和模擬漢式傳統建築樣式的洞窟。雙窟制的出現與北魏馮太后曾兩度臨朝稱制，朝野權貴多并稱馮太后和孝文帝爲“二聖”的歷史背景有關。這一時期洞窟雕刻富麗堂皇，雕像琳琅滿目，技藝精湛。洞窟壁面流行分層分段附有榜題的漢式做法，壁面上部一般雕有成排的天宫伎樂，下部有供養人禮佛行列。中部除龕像外還雕刻連環畫式的本生和佛傳故事。主尊題材流行三世佛、成組合的釋迦和交脚彌勒菩薩、釋迦多寶和維摩文殊，還有交脚佛、倚坐佛、半跏思惟菩薩、護法神像和坐禪僧等。各種造像雕刻精細，形象生動，技藝高超。如第7、8窟門兩側三頭八臂坐青牛的摩醯首羅天和騎孔雀五頭六臂的鳩摩羅天，童子面容，手托日月，形象生動可愛。窟頂的伎樂飛天，體態渾厚，姿態各异，環繞着中心蓮花，作凌空翱翔狀。第9、10窟前廊壁頂手持各種樂器的天宫伎樂，窟門上蛟龍盤繞的須彌山，明窗兩側的鹿頭梵志、婆藪仙人和騎象菩薩等，都刻畫得十分傳神。佛和菩薩像的樣式仍然面相渾圓，身體健壯。佛像一般身着袒右式袈裟和通肩袈裟，菩薩斜披絡腋。但與曇曜五窟造像相比已有一定的差别，如第20窟主尊衣紋分叉和厚重的服飾已不流行，取而代之是佛像袈裟以平行的衣褶來表示。到這一階段的後期，出現了褒衣博帶式袈裟的新型樣式。這種服飾是漢族士大夫的常服，在雲岡最早出現在第11窟明窗上方太和十三年（公元489年）紀年銘的釋迦多寶龕。第6窟佛像雖然體形豐滿，但完全穿上了褒衣博帶式袈裟。第1、2窟的佛像不僅身着褒衣博帶式袈裟，而且身體開始向清瘦轉變。這種新型服飾的出現，正反映了北魏孝文帝推行漢化政策，進行服制改革這一歷史事實。

北魏遷都洛陽後（公元494年），雲岡石窟大規模的開鑿活動停止了，造窟功德主爲一般官吏和世俗善信，開鑿活動一直持續到北魏正光四年（公元523年）。這一階段洞窟主要集中在西部，規模都比較小，有中心塔柱窟、三壁三龕窟和横長方形窟等。造像題材流行三世佛、釋迦、彌勒、釋迦多寶，維摩文殊，本生、因緣和佛傳故事也較爲常見。佛、菩薩、弟子、飛天等均面相清瘦，身體修長，爲典型的“秀骨清像”樣式。佛像多身着褒衣博帶式袈裟，寬博的裙擺長覆于座前。菩薩披巾多交叉于腹部，或于腹交叉穿環。飛天上身着對襟衫，下身着長裙，身姿細長而飄逸。

雲岡石窟是北朝石窟寺的杰出典範，無論是洞窟形制，還是造像樣式和造像題材，都對北方地區石窟開鑿産生很大影響，學術界稱之爲“雲岡模式”⑦。

除了雲岡石窟之外，平城時期開鑿的石窟寺主要集中在西部甘肅地區，如天水麥積山、敦煌莫高窟以及河西走廊的一些早期洞窟。東部地區僅有零星的小石窟。這些石窟寺的開鑿主要受到來自雲岡石窟的影響。

麥積山早期典型洞窟爲第74、78窟。兩窟相鄰，規模、形制和題材完全一致，屬一組雙窟。洞窟平面圓角方形，三壁設壇式，壇上塑三世佛。正壁佛像兩側各塑一脅侍菩薩像，菩薩上方各鑿一小龕，龕内分别塑交脚菩薩像和半跏思惟菩薩像。佛像多爲水波紋髮髻，臉龐渾圓，眼睛細長，身體渾厚，身着袒右式袈裟，衣紋細密，且有分叉。菩薩像頭束髮髻，髮辮長披于肩，上身斜披絡腋，身體健壯⑧。這些特點與雲岡石窟曇曜五窟相比，確有許多相同之處。從第78窟右壁佛壇上剥離出的裏層供養人壁畫看，供養人身着鮮卑胡服，旁有“仇池鎮”的題名。仇池鎮是北魏太武帝于太平真君七年（公元446年）設置的。太武帝時期推行滅法政策，故其開鑿年代最早應在文成帝復法之後，約與雲岡石窟的開鑿年代（公元460年）大體相同或稍後，如果考慮雙窟的特殊組合，可能與孝文帝初期開鑿的雲岡第7、8窟年代相當。

與麥積山石窟不同，這一時期敦煌莫高窟主要流行中心柱窟，如第251、254、257、259窟等，中心柱單層，四面開龕，一般正壁開一龕，其他三面上下各開一龕，龕内塑主尊佛像，龕外兩側塑脅侍菩薩像，龕外壁面一般有浮塑千佛或供養菩薩像。第259窟比較特殊，僅雕出半個中心柱，正壁龕内塑半跏坐的釋迦多寶像。造像特點與雲岡石窟十分相似。

公元494年，北魏孝文帝遷都洛陽。隨着政治中心的南移，佛教中心也由平城轉移到了洛陽，北魏皇室和臣僚開始在洛陽龍門進行大規模的石窟開鑿活動。《魏書·釋老志》記載：“景明初（公元500年），世宗詔大長秋卿白整準代京靈岩寺石窟，於洛南伊闕山，爲高祖、文昭皇太后營石窟二所。……永平中（公元508－511年），中尹劉騰奏爲世宗復造石窟一，凡爲三所。”這就是龍門的賓陽三洞。到了神龜、正光之際，以孝明帝、胡太后爲首的北魏統治集團競相在洛陽城郭大造佛寺。龍門石窟的開鑿也達到了鼎盛，并以龍門爲中心帶動了洛陽周圍其他石窟寺的開鑿，如鞏縣石窟寺、鴻慶寺石窟等。這一時期北方地區石窟的開鑿也進入了高潮，石窟地點遍布各地，如麥積山、敦煌、炳靈寺石窟。新出現的重要石窟地點有甘肅涇川王母宫石窟，慶陽北魏永平年間奚康生開鑿的南北石窟寺，遼寧義縣北魏太和晚期（公元494－499年）元景開鑿的萬佛堂石窟等。

洛陽地區北魏晚期石窟寺，以龍門和鞏縣石窟爲代表。龍門北魏洞窟是在承襲雲岡石窟特點的基礎上形成和發展起來的，其中古陽洞是龍門開鑿最早、内容最豐富的大窟。太和十八年（公元494年）以後，一批隨孝文帝遷都洛陽的王公貴族和高僧，陸續在此修整洞窟，發願造像。窟内後部雕一佛二脅侍菩薩像，這鋪造像可能是爲孝文帝雕造的。窟内左右壁上下各有三層大龕，每層各四龕，窟頂和四壁雕滿各式各樣的小龕。賓陽三洞是龍門最典型的北魏窟，爲宣武帝"準代京靈岩寺石窟"，即仿自雲岡石窟模式而開鑿的。洞窟的開鑿從景明初一直持續到正光四年（公元500－523年），其中南洞和北洞因統治集團内部的政治鬥争而未能完工。賓陽中洞窟門上雕雙龍交纏圓拱門梁，門外兩側屋形龕内各雕一力士像。門甬道兩側浮雕大梵天和帝釋天。窟内主尊造像爲三世佛，前壁自上而下雕刻文殊菩薩與維摩詰居士對坐説法圖、薩埵太子本生、大型帝后禮佛圖、十神王。另一典型洞窟是北魏孝昌三年（公元527年）胡太后之舅皇甫度開鑿的皇甫公窟。窟内正壁龕内雕一佛二弟子二菩薩二思惟菩薩。南壁龕雕彌勒菩薩，北壁雕釋迦多寶佛。龕下均有精美的禮佛圖。窟頂有大蓮花，八身伎樂天手持各種樂器，作凌空飛舞狀，姿態十分優美⑨。

龍門北魏洞窟主尊造像，主要流行釋迦牟尼和表現在兜率天宫决疑的交脚彌勒菩薩，還有表現佛法傳承的三世佛題材和表現《法華經》題材的釋迦、多寶二佛并坐説法。除主尊造像外，壁面還雕刻大量連環畫式的佛傳、本生和因緣故事等浮雕以及大量的供養人和大型帝后禮佛圖。尤其是維摩居士和文殊菩薩問答的題材很多，一般在龕外兩側上方比較顯要的位置。這些題材與當時流行《法華經》、《彌勒上生經》和《維摩詰經》等佛典以及帝王臣僚熱烈崇佛的歷史背景有密切關係。佛、菩薩、弟子、飛天和力士的造型，前後有明顯的變化，遷都洛陽前後開鑿的古陽洞部分龕像中佛像和菩薩肩寬體壯，佛身着袒右式袈裟，菩薩斜披絡腋，這些都保留了雲岡早期造型和服飾舊樣式。宣武帝景明以後舊樣式消失。同時古陽洞出現面容清瘦，雙肩下削，身姿纖細，重在表現人物神態的"秀骨清像"形象，成爲北魏流行的新樣式。佛像身穿漢族士大夫的褒衣博帶式大衣，衣褶稠密，披覆于佛座前。菩薩身披寬博的披巾，于腹部交叉或交叉穿環。這種樣式來源于南朝造型藝術的影響，同時也符合中原漢民族的審美情趣，是拓跋鮮卑模擬南朝制度、進一步推行漢化政策的具體表現。

鞏縣石窟寺共有五個大窟，這是繼龍門石窟之後洛陽地區規模最大的北魏石窟寺。據唐代碑刻記載，寺院爲北魏孝文帝所創。洞窟的開鑿有可能與北魏皇室有關。鞏縣石窟雕刻之精美、題材之豐富并不亞于龍門北魏石窟造像。

鞏縣石窟第1、2、3、4窟爲中心柱窟。其中第1窟規模最大，窟内中心柱四面各開一帳形龕，東面爲作坐姿的彌勒菩薩，其餘三龕均爲結跏趺坐佛，中心柱基座上刻成排神王像。左右後三壁各開四龕，龕内主尊有釋迦多寶、坐佛像、彌勒菩薩和維摩文殊對坐像。龕下爲成排的伎樂和异形獸。前壁窟門兩側爲上中下三排帝后禮佛圖。第3窟、第4窟形制相同，均方形平綦頂，中心柱單層或上中下二層，四面開龕，主尊有釋迦、彌勒菩薩和釋迦多寶。左右後三壁中央各開一小龕，壁脚也雕伎樂和异形獸。前壁和中心柱基座與第1窟相同，爲三排禮佛圖及神王像。第5窟爲三壁三龕窟，窟門外兩側雕刻二力士像，窟内東壁爲彌勒菩薩，南壁和西壁坐佛，組成三世佛組合。前壁雕二立佛。鞏縣石窟的造像明顯出現二種不同的風格，一種類似于龍門石窟北魏造像“秀骨清像”樣式，另一種則是面相方圓體態渾厚的新樣式，後者明顯可以看到南朝張僧繇“張得其肉”塑畫風格的影響，爲北齊人物豐滿樣式的確立開了先河⑩。

在都城地區石窟寺藝術的影響下，各地石窟寺造像儘管或多或少保留一些本地特色，但總體上呈現出較爲一致的藝術風貌。

這一時期的造像主要流行三世佛題材，一般以釋迦佛爲主尊，也有以表現《法華經》題材的釋迦多寶爲主尊的，如炳靈寺第126、128和132窟，正壁爲釋迦多寶佛，左壁爲交脚彌勒菩薩，右壁結跏坐佛，構成了三世佛組合⑪。與三世佛有密切關係的七佛也是石窟中重要的表現題材，奚康生開鑿的北石窟寺第165窟和南石窟寺第1窟以主尊形式雕造于窟内正左右三壁，前壁兩側還各雕一尊倚坐或交脚彌勒菩薩⑫。釋迦和交脚彌勒菩薩也是流行的題材，并有較多的洞窟是以此爲主尊的，如義縣萬佛堂第6窟後壁正中雕一尊交脚彌勒佛像。另外維摩、文殊題材仍然大量流行⑬。

受洛陽雕塑藝術的影響，各地雕塑也都具有明顯的“秀骨清像”特點，人物服飾也趨于世俗化。尤其是麥積山北魏晚期雕塑技藝精湛，佛像一般身着褒衣博帶式的袈裟，面相清秀，笑容慈祥，身體消瘦。菩薩、弟子、維摩、文殊、力士及世俗供養人像等，都塑造得眉清目秀，栩栩如生。最爲典型的是第121窟、第122窟，在窟内角隅塑有菩薩像和弟子像，菩薩像頭梳雙環髻，臉龐清秀，面露微笑，上身爲交領衫，下身着長裙，衣帶飄動流暢，與世俗婦女裝束一樣。身體修長，胯部微微扭動，表現出柔美的身姿。弟子臉龐略顯圓潤，細眉長眼，頭部微向菩薩一側，似與菩薩在竊竊私語。力士像身着裲襠甲，爲武士打扮。這些人物形象傳神，使宗教神祇偶像脱下了神秘的面紗，貼近于現實生活。

在北朝盛鑿石窟的影響下，南朝齊梁時期也有規模較小的石窟寺的開鑿。南朝摩崖龕像僅見于南京栖霞山石窟和浙江新昌大佛⑭。南朝龕像以無量殿所在大像龕爲中心，龕平面略作横橢圓形，敞口式。龕内正壁壇上雕高約9.3米的無量壽佛坐像，兩側壁分别雕觀世音和大勢至菩薩。無量殿左右兩側還有六個較大的窟，屬于南齊晚期雕刻。主尊有釋迦多寶、三佛和彌勒等。佛像有的身着雙領下垂式袈裟，右肩上有偏衫衣角。有的身着通肩袈裟，裙擺披覆于須彌座上。菩薩像的髮辮長垂于肩兩側，披巾交叉于腹部，瓔珞從雙肩垂下，交接于腹部的圓形裝飾上。上身斜披僧祇支，下身着裙，裙擺外撇。這些特點與北朝龍門石窟賓陽中洞十分相似，這爲龍門石窟新型佛像樣式的來源提供了實物資料。

公元534年，北魏分裂成東魏和西魏，繼而又更替爲北齊和北周。北朝的統治中心分别轉移到了鄴城（今河北臨漳縣）和長安(今陝西西安市)，在東部形成了以鄴城爲中心的響堂山石窟群和以陪都太原爲中心的天龍山石窟群，西部地區主要爲天水麥積山、敦煌莫高窟和寧夏固原須彌山石窟等。

響堂山石窟群是由北齊高氏皇室、大臣及高僧經營開鑿的，主要包括北響堂、南響堂、水浴寺石窟三處。其中北響堂石窟規模最大，爲高氏皇室所開鑿⑮。南響堂石窟開鑿于北齊天統元年(公元565年)，丞相高阿那肱資助修成⑯。水浴寺石窟爲高僧和普通信徒開鑿⑰。

響堂山石窟主要有中心柱窟、方形三壁三龕窟和方形窟三類。窟前一般雕出仿木建築的前廊，在窟檐之上雕覆鉢頂，使外觀構成了一個塔的形式。中心柱窟中規模最大、開鑿年代最早的是北響堂北洞，中心柱三壁龕内主尊分别爲釋迦佛和二彌勒佛。窟内周壁雕十六個塔形龕，龕下爲須彌座，座兩端各雕一异型神獸，龕上爲覆鉢及塔刹。窟内前壁淺刻大型世俗男女禮佛圖。

響堂山的造像題材主要有三佛和釋迦佛，除傳統的三世佛組合外，三佛的組合出現新的變化，如北洞爲一釋迦二彌勒佛的組合，南響堂第4、6窟以阿彌陀佛爲主尊的三佛組合。特别是南響堂第1、2窟前壁的浮雕西方净土變，構圖精細，形象優美。畫面以阿彌陀佛説法爲中心，觀世音和大勢至菩薩像分坐左右，兩側各有一樓建築，畫面下部爲花池，池内有蓮花化生、游泳者和各種形態的禽鳥，池邊有人在悠閑地搓背，有人在嬉戲玩耍。第5窟還有鄴城地區十分少見的涅槃變圖像，以釋迦卧像爲中心，兩側及身後爲衆人舉哀場面，雕刻也十分精細。

響堂山石窟在雕刻技法和人物造型上與北魏晚期有明顯的不同，即改變了前期“秀骨清像”的樣式，而側重于表現人物豐腴健壯的體態。如佛像體態豐滿，身軀寬厚；菩薩像肌體圓潤，有的身姿扭曲，表現出很高的雕刻藝術水平。這種形象的出現可能受到南朝蕭梁張僧繇畫派的影響。唐人稱他的繪畫風格是“像人之妙，張得其肉”，表明張僧繇的繪畫十分注重表現人體的豐腴健壯，手法寫實。大約到蕭梁中期，這種繪畫風格逐漸影響到了北方地區。在北魏洛陽永寧寺出土的塑像，以及北魏鞏縣石窟寺的佛像上，就可以看出這種影響的端倪。響堂山石窟造像則表現得更爲成熟，成爲北齊佛教雕刻的範本。

天龍山石窟規模較小，僅有北朝洞窟五個⑱。始鑿于東魏時期的第2、3窟是一組雙窟，是天龍山雕刻内容最爲豐富，技藝最精湛的洞窟，同時也是受破壞最嚴重的洞窟。兩窟平面方形，三壁三龕式。龕内雕一佛二菩薩像，龕外雕刻淺浮雕，題材有維摩、文殊問答，樹下思惟菩薩，迦葉、阿難二弟子，束髻供養人和世俗供養人像，窟頂四披原雕刻有栩栩如生的供養飛天。造像均爲“秀骨清像”的清秀飄逸風格，佛像臉龐消瘦，雙肩微溜，身體顯得單薄而瘦弱。佛身着褒衣博帶式袈裟。菩薩像頭梳高髮髻，眉清目秀，身材修長。披帛于腹部交叉穿環，或相交于腹下部，下身穿着長裙。東魏造像同北魏晚期造像一樣，更多地注重表現造像的精神面貌，表現手法以綫條刻劃爲主，强調衣紋動感和韵律感。

北齊洞窟有第1、10、16窟，均爲方形三壁三龕式，窟前雕鑿了仿木建築的前廊，三壁龕内各雕一佛二弟子二菩薩五身像，這樣窟内供奉的主像都是三佛。窟門内外兩側一般雕刻一對金剛力士和天王像。北齊造像與東魏造像的藝術風格完全不同，它追求表現人體健壯肌肉結構的寫實風格，使造像的立體感更强了。佛像肉髻低而平，面相渾圓，身體健壯而豐滿，身着袒右式袈裟或雙領下垂式袈裟。菩薩像頭戴高花蔓冠，臉龐寬而豐滿，披帛繞着雙臂下垂，上身袒露，腹部微微凸起，顯得十分碩壯，下身着緊身短裙。這種藝術風格當是受鄴城石窟造像影響産生的。

麥積山北朝晚期洞窟主要集中在東崖面上⑲。西魏時期的塑像題材多三佛，配以二弟子二菩薩像，也有維摩和文殊像。塑像形象承襲了北魏晚期的特點，但佛、菩薩和弟子像等造像人物明顯呈由清瘦向豐滿演變的趨勢。塑像形象逼真，塑造精細，如第102窟的少男少女塑造得十分生動。少男頭戴圓帽，身穿圓領長袍，少女梳雙環髻，着長裙。他們虔誠信佛的神情被表現得惟妙惟肖。北周的題材主要爲三佛和七佛，塑像的風格與西魏有了顯著的差别。佛像肉髻低平，臉龐豐圓，身着通肩袈裟，或袒右式，菩薩頭戴寶冠，身披一串長瓔珞，身體顯示出“S”形的扭動。

須彌山石窟始鑿于北魏晚期，但規模較小，到北周時期洞窟開鑿達到高潮。北周洞窟以大型的中心柱窟爲主，保存較好的中心柱窟有第45、46、51窟。窟内及中心柱四壁均開龕，窟頂雕飛天，中心柱基座前雕刻神王、伎樂或供養人。北周時期造像有坐佛、立佛、倚坐彌勒菩薩和交脚彌勒菩薩像等，佛和菩薩像均爲身體健壯樣式。佛像的肉髻寬而低平，臉龐方圓，雙肩寬平，身着通肩袈裟或雙領下垂式袈裟。菩薩一般頭戴冠，臉龐方圓，披巾交叉穿環和横于腹膝二道，瓔珞爲聯珠紋，交接于腹部蓮花飾上，或垂于膝部⑳。

敦煌莫高窟西魏北周時期仍是以大型中心柱窟爲主，還有三壁一龕窟。典型的洞窟有第249、285、293、428窟等。窟内主尊塑像一般爲釋迦或彌勒，主像兩側大都有二脅侍菩薩像，此外還有釋迦多寶對坐像、釋迦苦修像、菩薩像和禪僧像。北周時期則出現一佛二弟子二菩薩像的新組合。西魏時期開始出現中原地區流行的“秀骨清像”人物形象，如第249窟佛像面相清瘦，身着褒衣博帶式袈裟。菩薩像雙肩敷搭寬博披巾，于腹部交叉。飛天姿態顯得清秀而優美。到了北周後期，塑像和壁畫中的人物形象又出現了新的變化趨勢，即由清瘦向體格豐滿的形象轉變，佛像面相方圓，頭部較大，下身略短，一般身着褒衣博帶式袈裟，也有着通肩袈裟的㉑。

另外甘肅武山拉稍寺摩崖浮雕釋迦佛并二菩薩像非常引人矚目㉒。這鋪造像是北周實權人物秦州刺史尉遲迥于北周明帝三年（公元559年）雕造的。佛像通高近40米，是北朝第一大佛。佛身着通肩大衣，施禪定印，結跏趺坐于仰蓮臺座上。蓮座上的浮雕頗具特色，共有三層動物圖案，分别爲大象、卧鹿和獅子。居中者爲正面形象，兩側動物均面朝外側。這種動物的排列方式及獅子的形象頗有中亞藝術的特徵。兩側菩薩頭戴花冠，臉龐渾圓，上身斜披僧祇支，下身着百褶裙，雙手持一蓮花，側身朝向釋迦佛。

北朝晚期是一個特殊的時期，儘管東西部地區石窟寺雕塑形象、服飾等方面存在較多差异，但造像的樣式都明顯受到南朝蕭梁張僧繇塑畫風格的影響，出現了表現人物豐腴健壯、手法寫實的造型，這爲唐代石窟雕塑的豐腴造型風格開創了先河。

公元6世紀後期至8世紀，是隋唐王朝的鼎盛時期，大一統的政治局面爲南北和東西文化的交融、佛教雕塑藝術的繁榮提供了契機。但是石窟寺雕塑却跌入低潮。由于隋代帝王更熱衷于大型佛寺和佛塔的修建，石窟寺的開鑿基本上處于沉寂狀態。北方地區衹有天龍山、河南安陽寶山、山東青州駝山和雲門山、麥積山和須彌山等開有少量隋代洞窟，雕塑的樣式承襲了北齊和北周的特點。唯一例外的是莫高窟，隋代洞窟多達一百零一個，表明這一時期是莫高窟開鑿洞窟的盛期㉓。敦煌隋代流行三壁一龕和三壁三龕窟，也有少量的中心柱窟。窟内塑像一般爲一佛二弟子二菩薩，或一佛二弟子四菩薩的組合。有的洞窟出現以一佛二菩薩爲一組的立像和三組九身立像的新組合，前室增加了二力士和四天王。隋代塑像主要延續了北周的特點，但塑像的頭與身體比例趨于和諧。佛像面相方圓，一般身着雙領下垂式袈裟。

新出現鈎鈕式袈裟樣式。菩薩像出現并流行上身着背帶式僧祇支的服飾，披巾多横于腹膝二道，很少見到北朝時期披巾于腹部交叉或交叉穿環的樣式。

從初唐開始，石窟寺的開鑿活動逐步恢復。到高宗、武則天和玄宗時期，中原北方地區石窟寺的開鑿達到了頂峰，形成了以都城爲中心的石窟寺群，如長安附近的彬縣大佛寺㉔、洛陽龍門山㉕、北都太原天龍山㉖、敦煌莫高窟等地都有大規模的開鑿活動㉗。

彬縣大佛寺是初唐時期最重要的石窟寺，其中大佛洞完工于唐貞觀二年（公元628年）。窟内正壁前雕高達20餘米的無量壽佛，左右壁雕高達17餘米的二菩薩像。主佛身體表面雖經重塑，但基本上體現了原有造像的特點：佛像的肉髻較高，身軀豐壯，胸腹平坦，身著褒衣博帶式大衣，衣紋的寫實感不强。觀世音和大勢至菩薩頭戴化佛冠或寶瓶冠，身體豐滿，呈“S”形扭動。身上没有瓔珞等華麗的裝飾，而追求簡潔明快，表現出與隋代造像不同的風格。大佛寺，唐代稱應福寺，是唐太宗于武德元年（公元618年）平薛舉時所置。因此，開鑿的大佛窟功德主可能是唐太宗。大佛寺是長安附近規模最大的石窟寺，其造像樣式應代表了長安佛教造像流行的風尚。

唐代皇室在龍門開窟造像始于賓陽南洞，唐太宗第四子魏王李泰爲生母長孫皇后做功德，在窟内正壁雕造了一佛二弟子二菩薩五身大像，貞觀十五年（公元641年）完工。這組造像上承北朝晚期造像藝術的風韵，具有典型的初唐時期質樸敦厚的藝術風格。主尊阿彌陀佛爲旋渦紋髮髻，面相圓滿，神情莊嚴。身着雙領下垂式袈裟，身體豐滿圓潤，但略顯稚拙。手施説法印，結跏趺坐于束腰須彌座上。弟子像形體較小，爲一老一少形象，身披袈裟，雙手合十，神情謙恭。菩薩頭戴高花蔓冠，面相豐圓，頸下戴項圈，身帔帛和連珠紋瓔珞，下身着百褶長裙，身體呈直筒狀，立于蓮臺上。

龍門唐窟規模最大、雕刻最精的當數唐高宗主持修造的奉先寺“大盧舍那像龕”，根據唐開元十二年（公元722年）鐫刻的《大盧舍那像龕像記》記載：龕像爲“大唐高宗天皇大帝之所建也”，咸亨三年（公元672年）武則天皇后出脂粉錢二萬貫助營此工程，上元二年（公元676年）龕像竣工。該龕辟山而造，平面呈倒凹字形。龕前三壁設壇基，壇上正壁雕高達17.14米的大盧舍那佛，兩側依次雕二弟子二菩薩二天王二力士像，造像的高度亦10米以上。整組群雕布局嚴謹，主次分明，氣勢磅礴，是龍門石窟的象徵。

唐代造像内容豐富，除了北朝已有的釋迦牟尼佛和三佛組合外，反映各佛教宗派的題材明顯增多。如許多洞窟以净土宗供奉的西方阿彌陀佛爲主尊，净土洞左右壁甚至出現《觀無量壽佛經》中“九品往生”經變畫。單身觀世音菩薩龕也較多見，而且出現成組合的觀世音菩薩和地藏菩薩，觀世音、地藏作爲阿彌陀佛的脅侍形式出現。還有與華嚴宗有關的奉先寺盧舍那佛，與密宗有關的擂鼓洞大日如來像、萬佛溝的千手千眼觀音以及四臂、八臂觀音像等，與禪宗有關的大萬五佛洞和看經寺二十九身傳法祖師像。這些題材的出現與唐代佛教宗派確立并在洛陽地區廣泛流行的歷史背景有關。

天龍山唐代洞窟開鑿于公元700年左右。洞窟規模雖然不大，但雕刻十分精緻。窟内雕刻一般爲三世佛，造像組合一般爲一佛二弟子二菩薩像，或一佛四菩薩像。天龍山第9窟是規模最大的摩崖龕像，分上下二層。上層倚坐彌勒佛高達7.5米，佛像螺髮，臉龐豐圓，身着雙領下垂式袈裟，倚坐于束腰須彌座上。下層爲三大士像，正中十一面觀音立像，左右分别爲文殊和普賢菩薩。天龍山唐代造像雕刻水平很高，表現手法細膩，具有很高的藝術欣賞價值。佛像多水波或旋渦紋髮髻，面相渾圓，寬肩細腰，胸部及肢體豐滿健美，而不顯臃腫。佛身着袒右式偏衫，或雙領下垂式袈裟，衣裙下擺遮覆于佛座上，并且襯托出佛座上的仰蓮瓣，呈“曹衣出水”之式。菩薩像富有活力，菩薩頭束高髮髻，眉眼細長，櫻桃小嘴，面相豐滿圓潤，雙肩較寬，細腰窄臀，下身顯得尤爲修長。菩薩具有“S”形的優美身段，上身斜纏着天衣，末端繞過右肩下至胸前翻出。頭兩側冠帶如長長的飄帶一樣從雙肩搭下，伴隨着身體的扭動而飄然下垂，頗似唐代吴道子“吴帶當風”的樣式。菩薩下身穿長裙，裙子緊貼着臀部和雙腿，衣紋雕成“U”字形，圓形的衣褶表現出柔和的質地感。除了菩薩作立姿以外，還有許多脅侍菩薩像盤坐或舒腿坐于仰覆高蓮座。天龍山造像的雕刻手法和樣式，主要受到來自長安造像樣式的影響。

敦煌莫高窟唐代洞窟數量最多，主要流行三壁一龕窟，中心柱窟數量較少，出現了大像窟、涅槃窟和佛壇窟等新型的洞窟形制。如武周延載二年（公元695年）開鑿的北大像窟（第96窟）和唐開元九年（公元721年）開鑿的南大像窟（第130窟），窟高30米以上，其中南大像高23米，北大像高33米。卧佛窟（或稱涅槃窟）有第148窟和第158窟，規模較大，主室後部設涅槃臺，上塑大型卧佛像。

唐代塑像一般爲一佛二弟子二菩薩二天王或二力士的組合。盛唐時期的造像則達到了藝術的巔峰，塑造水平高，表現手法細膩。最爲典型的是第45窟等一批洞窟。佛像面相渾圓豐滿，寬肩細腰，胸部及肢體豐滿健美，而不顯臃腫。袈裟的衣紋作突起泥條狀，衣褶稠密下垂，緊裹身體及雙腿，呈“曹衣出水”之式。菩薩頭束高髮髻，頸戴華麗的項圈，肌體柔潤而豐滿。菩薩的身姿扭成“S”形彎曲，體現了女性柔美的動感。

唐代是石窟寺雕塑藝術發展的巔峰時期。高祖、太宗時期石窟寺雕塑較多地承襲了隋代風格，還不够成熟。到高宗、武則天時期，無論是人物造型，還是雕刻技藝、表現手法都達到了爐火純青的地步，真正確立了唐代雕塑藝術的風範，玄宗朝的盛唐雕塑藝術衹是前朝的延續。在唐代，儘管長安和洛陽的雕塑藝術存在着一些差异，如長安追求雕塑的簡潔明快，洛陽偏重雕塑的裝飾效果，但總體上呈現了一致的藝術風貌，即唐代雕塑藝術家們注重表現人物造型豐滿圓潤的肌體，優美健碩的身姿，具有濃厚的寫實意味。尤其是菩薩造型，頭束高髻，上身袒露，下身穿緊貼臀部和雙腿的長裙，身體扭成三道彎，披巾伴隨着身體的扭動而飄然下垂，顯得婀娜多姿，嫵媚動人，充分表現了唐代貴婦人那種豐腴富態、雍容華貴的形象。這種造型藝術的出現，與唐代崇尚以豐腴爲美的審美觀不無關係。

公元8世紀中期以後，唐王朝經歷了安史之亂，中原經濟和文化遭受了極大的破壞。此後藩鎮割據，戰爭頻繁，中央政府再也無力控制全國。在此環境下，北方開窟造像的熱潮受到沉重打擊，以人力財力爲依托的石窟寺開鑿活動從此一蹶不振。石窟寺的開鑿主要轉移到了政治、經濟穩定，文化發達的四川地區（包括今四川省和重慶市）。

四川石窟的開鑿始于北朝晚期，盛于唐宋。廣元、巴中、安岳、大足（今屬于重慶市）等地都有大量發現，主要以摩崖龕像爲主，内容豐富，而且年代愈晚，地方特色愈加顯著。從整體上看，石窟寺的開鑿呈現由北而南發展的趨勢。其中位居川北的廣元千佛崖石窟開鑿年代最早，約在北魏晚期，廣元皇澤寺略晚些[28]。廣元北朝洞窟主要有馬蹄形窟（千佛崖大佛洞）、三壁三龕窟（千佛崖三聖堂、皇澤寺第38窟）和中心柱窟（第45窟）等類型。龕内造像主尊有一佛二菩薩或三佛。造像明顯比較豐滿，佛像身着雙領下垂的袈裟，右肩有偏衫衣角，衣紋比較單薄，這種樣式與麥積山北周塑像是一致的。由此可知，廣元早期石窟寺造像樣式主要來源于長安及附近地區石窟寺造像。約開鑿于隋末唐初的皇澤寺五佛窟（第51窟），平面馬蹄形，穹隆頂，環壁設低壇，壇上雕一佛二弟子二菩薩像。尤其是造像身後浮雕的雙樹及人形化的天龍八部護法形象，成爲川地最流行的背景題材。唐代佛像雕塑以摩崖龕像爲主，也有一些洞窟雕像。窟内中央設佛壇的佛壇窟比較多見，中心佛壇後部均有鏤空的雙樹，雙樹與窟頂相連，構成大的背屏。這種形制頗具地方特色，與中原北方如敦煌莫高窟的背屏式洞窟有些類似。造像組合形式一般以一佛二弟子二菩薩二天王二力士像居多，許多龕内造像後部浮雕天龍八部護法像。造像題材形式多様，有釋迦、彌勒和阿彌陀佛組成的三佛，阿彌陀佛和彌勒佛等。西方净土變題材以及與西方净土信仰相聯繫的觀世音菩薩題材較爲流行。盛唐以來，開始流行北方毗沙門天王以及毗盧遮那佛、藥師琉璃光佛和藥師經變題材、聖觀音、如意輪觀音、四臂觀音、十一面觀音、救苦觀世音、不空羂索觀世音等密宗題材。

巴中是川北唐代石窟造像比較集中的地區，主要有南龕、水寧寺、北龕、西龕、東龕、石門寺等㉙，均爲摩崖龕像，以裝飾意味很强的重口龕居多，另外還有大像龕和卧佛龕。與廣元相似，西方净土變題材最爲流行，除主尊阿彌陀佛、觀世音、大勢至菩薩外，造像後部浮雕五十二菩薩。大量流行具有濃鬱地方特色的用鏤空的雙樹構成的佛壇背屏、人形化的天龍八部、北方毗沙門天王和身着袒右式袈裟的釋迦雙頭瑞像等等，這些都是中原北方地區石窟造像所少見的。受兩京地區石窟造像的影響，也出現密宗供奉的毗盧遮那、十一面觀音、地藏菩薩像等中原地區所流行的題材。巴中石窟常見的觀無量壽經變、藥師經變等，與敦煌莫高窟的同類經變畫十分相似，造像樣式也受到長安和洛陽地區的影響。

安岳石窟開鑿于盛唐至宋時期，主要有卧佛院、圓覺洞、毗盧洞、華嚴洞、玄妙觀等㉚，造像題材有釋迦、彌勒佛、西方三聖、華嚴三聖、千手觀音、明王、毗沙門天王以及涅槃經變、地獄變、凉州瑞像、藥師經變。另外還有少量的道教天尊像。特别是毗盧洞宋代雕刻的柳本尊十煉圖，規模宏大，雕刻精細，人物形象更具有世俗化、人性化的特點，是安岳石刻中的精品。

大足石刻主要有北山和寶頂山㉛。北山佛灣造像最早由唐景福元年（公元892年）昌州刺史韋君靖主持開鑿，經五代至宋達到極盛。北山造像題材十分豐富，主要有降三世明王、千手千眼觀世音菩薩、如意輪觀音、數珠手觀音、不空羂索觀音、如意王菩薩、歡喜王菩薩等密宗題材，另外還有阿彌陀佛、救苦觀音、地藏菩薩和藥師佛等。宋代出現彌勒下生經變、地獄變、觀無量壽變等經變雕刻以及十殿閻君、六圓覺菩薩等。其中開鑿于晚唐時期的觀無量壽佛經變龕（第245龕），是佛灣造像中雕刻最精、内容最豐富的雕刻組群，正壁雕主像阿彌陀西方三聖坐像，畫面上方天宫樓閣巍然，祥雲繚繞，伎樂鼓舞；左右壁有橋池、蓮花和舟船等。整個洞窟布局巧妙，雕刻富麗，完整地反映了《觀無量壽佛經》的内容。

大足寶頂山石窟開鑿于南宋嘉定年間。這是一組大型連續性的摩崖雕刻，場面恢宏，氣勢磅礴，是中國石窟中所僅見的。造像題材主要有華嚴三聖、廣大寶樓閣、六道輪迴圖、毗盧道場、孔雀明王經變、釋迦誕生和涅槃、千手千眼觀音、柳本尊行化、地獄變、觀無量壽變、父母恩重經變、十大明王等。這些題材糅雜了密宗、禪宗和儒家孝道等思想。如毗盧舍那佛、華嚴三聖、千手千眼觀音等都是密宗供奉的主尊。第14龕表現的就是毗盧舍那佛説法的毗盧道場，正中爲一座單層六角攢尖頂的佛塔，塔身與後壁相連，塔内爲毗盧舍那佛，頭戴寶冠，口中噴出毫光二道，結跏坐蓮座上。兩側爲菩薩和弟子聽法場面。第5龕華嚴三聖，主尊毗盧舍那佛頭爲螺髮，身披袈裟，左右文殊、普賢菩薩，手捧寶塔。第8龕千手千眼觀音跏趺坐于蓮臺上，後背雕出無數手與眼，手中各持不同法器，變幻無窮。表現儒家孝道觀念的有第15龕父母恩重經變、第17龕大方便佛報恩經變。第15龕上部刻七佛半身像，中部刻夫婦二人捧持香爐、焚香禮佛的情景，兩側分别刻出父母養育十種恩德，真實反映了父母對兒女的深摯感情，具有濃厚的生活氣息，下部雕刻不孝之子入地獄受諸苦難的場景。第17龕中部雕釋迦半身像，兩側雕刻六師外道謗佛不孝圖、大孝釋迦佛親抬父王棺圖以及各種釋迦及釋迦前生行孝道的故事場面。這些題材反映了佛教主動吸收儒家思想，以迎合中國傳統的倫理道德的情形。第30龕的牧牛圖，依山崖自然的高低起伏雕鑿，牧童和牛在崎嶇的山路上、幽静的林泉間，或欲與獅虎搏鬥，或牧童相擁交談，或吹笛，或牽牛，表現了田園生活場景，反映了禪宗以牛喻禪的思想。寶頂山石刻内容豐富，雕刻精細，生活氣息濃鬱，是中國晚期石窟寺雕刻的杰出代表。

公元10世紀以後的宋、遼、西夏、金、元諸朝，各朝統治者對佛教采取了扶持政策，石窟開鑿活動有一定的恢復，但已經進入尾聲。這一時期除四川外，陝西北部、浙江杭州、雲南大理、西藏阿里等地區都有石窟摩崖造像。陝北主要是北宋時期開鑿的石窟，地點分散，但不乏大型洞窟，雕刻也較精細[32]。杭州集中在西湖周圍，造像活動從五代吴越國一直沿襲到元代[33]。北宋雕造的飛來峰唐玄奘西行求法高僧浮雕，南宋雕刻的大肚彌勒佛像和十八羅漢群像，十分珍貴。雲南、西藏石窟造像民族特色鮮明。雲南劍川石鐘寺石窟主要開鑿于大理國時期[34]，最富地方特色的是表現南詔王及諸大臣群像龕、阿嵯耶觀音像和梵僧像，爲雲南所特有。密教中的大日遍照佛、八大明王、大黑天和毗沙門天王像也是大理國佛教所崇拜的對象。造像樣式與中原和四川石窟相似，反映了中原佛教文化對大理的影響。在西藏阿里，由吐蕃王室後裔建立的古格王國也開鑿了許多石窟寺。其中古格故城附近的東嘎皮央石窟，大約在公元11–16世紀開鑿，洞窟數量多達一千餘座，是國内最大的晚期石窟寺。雖然禮佛窟中塑像一般都已不存，但保存了大量色彩鮮艷的壁畫。壁畫的題材大都屬藏密系統，繪有各種佛像、菩薩像、曼荼羅、護法神像以及各種説法、禮佛的場面。尤其是反映藏地固有的苯教各種神祇和藏傳佛教各宗派的高僧像，身着吐蕃貴族裝束的人物，表現出濃厚的地方特色。同時阿里地區石窟寺也明顯受到外來文化的影響，如用暈染法繪製的壁畫、對獸紋和環形聯珠紋樣，都是西域及河西一帶所流行的，反映了古格王朝在延續本民族傳統藝術的基礎上，大量吸收和融合了其他民族的先進文化，形成了具有地方特色的中國晚期石窟寺藝術。

注釋：

① 如1902－1914年，德國柏林民俗博物館曾四次組織普魯士皇家考察隊，先後由格倫威德爾和勒柯克率領，到克孜爾進行了詳細的考察。他們先清理洞窟積沙，發掘出大量的塑像、木雕、寫本等珍貴文物。參見格倫威德爾《中國突厥故地的佛教寺院》（Albert Grunwedel,Altbuddhistische Kultstattenin Chinesisch–Turkistan,Berlin1912），勒柯克《中亞與新疆古代晚期的佛教文物》（Albert Le Coq,Dic Buddhistische Spatanti kein Mittelasien，1922－1933）。另參見新疆維吾爾自治區文物管理委員會、拜城縣克孜爾千佛洞文物保管所、北京大學考古系編《中國石窟・克孜爾石窟》3卷，文物出版社，1989－1996年。

② 甘肅省文物工作隊、炳靈寺文物保管所編《中國石窟・炳靈寺石窟》，文物出版社，1989年。董玉祥主編《炳靈寺一六九窟》，海天出版社，1994年。

③ 參見史岩《凉州天梯山石窟的現狀和保存問題》，《文物參考資料》1955年第2期；敦煌研究院、甘肅省博物館《武威天梯山石窟》，文物出版社，2000年。筆者曾于1994年考察了該石窟，在經歷了近半個世紀後，第18窟中心柱没有搬遷的明代重妝的塑像已經露出北凉原塑的面貌。

④ 樊錦詩、馬世長、關友惠《敦煌莫高窟北朝洞窟的分期》（《中國石窟・敦煌莫高窟一》，文物出版社，1982年）一文，將這組洞窟定爲十六國北凉統治敦煌時期（公元421－439年）。北京大學宿白教授《敦煌莫高窟早期洞窟雜考》、《莫高窟現存早期洞窟的年代問題》（宿白：《中國石窟寺研究》一書中，文物出版社，1996年）則認爲是北魏時期開鑿的。

⑤ 甘肅省文物考古研究所《河西石窟》，文物出版社，1987年。該書發表了大量上世紀60和80年代所拍攝的金塔寺、馬蹄寺、文殊山等河西石窟造像和壁畫的圖片。

⑥ 宿白《凉州石窟遺迹與“凉州模式”》，《考古學報》1986年第4期。

⑦ 宿白《平城實力的集聚和“雲岡模式”的形成與發展》，《中國石窟・雲岡石窟一》，文物出版社，1991年。雲岡石窟詳細資料可參見水野清一、長廣敏雄以京都大學人文科學研究所研究報告的形式陸續出版的16卷32册大型考古學報告：《雲岡石窟－西歷五世紀における中國北部分窟院の考古學的調查報告》，日本寫真印刷株式會社，1951－1956年。雲岡石窟文物保管所《中國石窟・雲岡石窟》2卷，文物出版社，1991－1994年。

⑧ 天水麥積山石窟藝術研究所編《中國石窟・麥積山石窟》，文物出版社，1998年。關于麥積山早期洞窟的年代，學術界還有創鑿于十六國姚秦的觀點。

⑨ 龍門文物保管所、北京大學考古系編《中國石窟・龍門石窟一》，文物出版社，1991年。

⑩ 河南省文物研究所編《中國石窟・鞏縣石窟寺》，文物出版社，1989年。

⑪ 甘肅省文物工作隊、炳靈寺文物保管所編《中國石窟・炳靈寺石窟》，文物出版社，1989年。

⑫ 甘肅省文物工作隊、慶陽北石窟寺文管所《慶陽北石窟寺》，文物出版社，1985年。

⑬ 劉建華《義縣萬佛堂石窟》，科學出版社，2001年。

⑭ 宿白《南朝龕像遺迹初探》，《考古學報》1989年第4期。

⑮ 水野清一、長廣敏雄《響堂山石窟》，京都，東方文化學院京都研究所，1937年。

⑯ 邯鄲市峰峰礦區文管所、北京大學考古實習隊《南響堂石窟新發現窟檐遺迹及龕像》，《文物》1992年第5期。

⑰ 邯鄲市文物保管所編《邯鄲鼓山水浴寺石窟調查報告》，《文物》1987年第4期。

⑱ 李裕群、李鋼《天龍山石窟》，科學出版社，2003年。

⑲ 天水麥積山石窟藝術研究所編《中國石窟・麥積山石窟》，文物出版社，1998年。

⑳ 寧夏回族自治區文物管理委員會、中央美術學院美術史系《須彌山石窟》，文物出版社，1988年。

㉑ 敦煌文物研究所《中國石窟・敦煌莫高窟一》，文物出版社，1982年。

㉒ 董玉祥、臧志軍《甘肅武山水簾洞石窟群》，《文物》1985年第5期。

㉓ 敦煌文物研究所《中國石窟・敦煌莫高窟二》，文物出版社，1984年。

㉔ 常青《彬縣大佛寺造像藝術》，北京現代出版社，1998年。

㉕ 龍門文物保管所、北京大學考古學《中國石窟・龍門石窟二》，文物出版社，1992年。

㉖ 李裕群、李鋼《天龍山石窟》，科學出版社，2003年。

㉗ 敦煌文物研究所《中國石窟・敦煌莫高窟三》，文物出版社，1987年；《中國石窟・敦煌莫高窟四》，文物出版社，1987年。

㉘ 皇澤寺博物館編《廣元石窟藝術》，四川出版集團、四川美術出版社，2005年。

㉙ 參見員安志《四川巴中縣石窟調查記》，《考古與文物》1986年第1期。四川省文物管理委員會、巴中縣文物管理所《四川巴中水寧寺唐代摩崖造像》，《文物》1988年第8期。巴中市文物管理所《巴中西龕石窟調查記》，《文物》1996年第3期。

㉚ 劉長久主編，《安岳石窟藝術》，四川人民出版社，1997年。

㉛ 郭相穎主編《大足石刻全集》4卷本，重慶出版社，1999年。

㉜ 靳之林《延安石窟藝術》，人民美術出版社，1982年；延安地區群衆藝術館編著《延安宋代石窟藝術》，陝西人民出版社，1983年。

㉝ 浙江省文物考古研究所《西湖石窟》，浙江人民出版社，1986年。

㉞ 宋伯胤《劍川石窟》，文物出版社，1958年。

目　　録

新疆石窟（公元四世紀至公元八世紀）

甘肅敦煌莫高窟（公元三六六年至公元一三六八年）

頁碼	名稱	時代	出土發現地	收藏地
14	思惟菩薩	北凉	甘肅敦煌市莫高窟第275窟	
15	交脚彌勒菩薩	北凉	甘肅敦煌市莫高窟第275窟	
16	交脚菩薩	北凉	甘肅敦煌市莫高窟第275窟	
17	天宫菩薩	北凉	甘肅敦煌市莫高窟第275窟	
17	肋侍菩薩	北魏	甘肅敦煌市莫高窟第259窟	
18	二佛并坐	北魏	甘肅敦煌市莫高窟第259窟	
19	佛 菩薩	北魏	甘肅敦煌市莫高窟第431窟	
19	佛 菩薩	北魏	甘肅敦煌市莫高窟第431窟	
20	交脚菩薩	北魏	甘肅敦煌市莫高窟第254窟	
21	思惟菩薩	北魏	甘肅敦煌市莫高窟第257窟	
22	倚坐佛	北魏	甘肅敦煌市莫高窟第251窟	
23	佛龕塑像	北魏	甘肅敦煌市莫高窟第435窟	
24	力士	北魏	甘肅敦煌市莫高窟第435窟	
24	力士	北魏	甘肅敦煌市莫高窟第435窟	
25	釋迦苦修像	北魏	甘肅敦煌市莫高窟第248窟	
25	供養菩薩	北魏	甘肅敦煌市莫高窟第248窟	
26	倚坐佛	北魏	甘肅敦煌市莫高窟第437窟	
26	龕楣浮雕飛天	北魏	甘肅敦煌市莫高窟第437窟	
27	龕楣浮雕飛天	北魏	甘肅敦煌市莫高窟第437窟	
28	禪僧	西魏	甘肅敦煌市莫高窟第285窟	
29	倚坐佛	西魏	甘肅敦煌市莫高窟第249窟	
30	佛龕	西魏	甘肅敦煌市莫高窟第432窟	
31	坐佛	西魏	甘肅敦煌市莫高窟第355窟	
31	迦葉	北周	甘肅敦煌市莫高窟第439窟	
32	佛龕塑像	北周	甘肅敦煌市莫高窟第428窟	
33	佛龕塑像	北周	甘肅敦煌市莫高窟第299窟	
34	佛龕塑像	北周	甘肅敦煌市莫高窟第290窟	
35	脅侍菩薩	北周	甘肅敦煌市莫高窟第290窟	
36	佛龕塑像	北周	甘肅敦煌市莫高窟第297窟	
37	天人	北周	甘肅敦煌市莫高窟第297窟	
38	釋迦説法像	隋	甘肅敦煌市莫高窟第304窟	
39	脅侍菩薩	隋	甘肅敦煌市莫高窟第304窟	
39	天王	隋	甘肅敦煌市莫高窟第427窟	
40	坐佛	隋	甘肅敦煌市莫高窟第56窟	

頁碼	名稱	時代	出土發現地	收藏地
41	交脚菩薩 脅侍菩薩	隋	甘肅敦煌市莫高窟第383窟	
42	立佛	隋	甘肅敦煌市莫高窟第427窟	
43	立佛	隋	甘肅敦煌市莫高窟第427窟	
44	立佛	隋	甘肅敦煌市莫高窟第427窟	
45	迦葉	隋	甘肅敦煌市莫高窟第427窟	
45	阿難	隋	甘肅敦煌市莫高窟第427窟	
46	迦葉	隋	甘肅敦煌市莫高窟第427窟	
46	阿難	隋	甘肅敦煌市莫高窟第427窟	
47	脅侍菩薩	隋	甘肅敦煌市莫高窟第416窟	
47	觀世音菩薩	隋	甘肅敦煌市莫高窟第420窟	
48	坐佛	隋	甘肅敦煌市莫高窟第420窟	
50	佛龕塑像	隋	甘肅敦煌市莫高窟第419窟	
51	迦葉 菩薩	隋	甘肅敦煌市莫高窟第419窟	
52	阿難 菩薩	隋	甘肅敦煌市莫高窟第419窟	
53	龍首	隋	甘肅敦煌市莫高窟第419窟	
53	脅侍菩薩	隋	甘肅敦煌市莫高窟第412窟	
54	倚坐佛	隋	甘肅敦煌市莫高窟第410窟	
55	坐佛	隋	甘肅敦煌市莫高窟第425窟	
57	坐佛	隋	甘肅敦煌市莫高窟第244窟	
57	阿難	隋	甘肅敦煌市莫高窟第244窟	
58	立佛	隋	甘肅敦煌市莫高窟第244窟	
59	立佛	隋	甘肅敦煌市莫高窟第244窟	
60	佛龕塑像	隋	甘肅敦煌市莫高窟第390窟	
61	佛龕塑像	唐	甘肅敦煌市莫高窟第57窟	
62	菩薩	唐	甘肅敦煌市莫高窟第204窟	
62	菩薩	唐	甘肅敦煌市莫高窟第71窟	
63	佛龕塑像	唐	甘肅敦煌市莫高窟第68窟	
64	坐佛説法	唐	甘肅敦煌市莫高窟第283窟	
65	迦葉	唐	甘肅敦煌市莫高窟第220窟	
66	坐佛	唐	甘肅敦煌市莫高窟第322窟	
68	坐佛説法	唐	甘肅敦煌市莫高窟第328窟	
69	菩薩	唐	甘肅敦煌市莫高窟第328窟	
70	供養菩薩	唐	甘肅敦煌市莫高窟第328窟	
70	供養菩薩	唐	甘肅敦煌市莫高窟第328窟	

頁碼	名稱	時代	出土發現地	收藏地
71	阿難 菩薩	唐	甘肅敦煌市莫高窟第328窟	
72	立佛	唐	甘肅敦煌市莫高窟第332窟	
73	菩薩	唐	甘肅敦煌市莫高窟第386窟	
74	二佛并坐	唐	甘肅敦煌市莫高窟第27窟	
75	坐佛	唐	甘肅敦煌市莫高窟第130窟	
76	菩薩	唐	甘肅敦煌市莫高窟第205窟	
76	菩薩	唐	甘肅敦煌市莫高窟第205窟	
77	坐佛	唐	甘肅敦煌市莫高窟第45窟	
78	佛龕塑像	唐	甘肅敦煌市莫高窟第45窟	
80	阿難	唐	甘肅敦煌市莫高窟第45窟	
81	菩薩	唐	甘肅敦煌市莫高窟第45窟	
82	迦葉	唐	甘肅敦煌市莫高窟第45窟	
83	菩薩	唐	甘肅敦煌市莫高窟第45窟	
84	南方天王	唐	甘肅敦煌市莫高窟第45窟	
84	北方天王	唐	甘肅敦煌市莫高窟第45窟	
85	菩薩	唐	甘肅敦煌市莫高窟第320窟	
85	菩薩	唐	甘肅敦煌市莫高窟第384窟	
86	菩薩	唐	甘肅敦煌市莫高窟第319窟	
86	佛龕塑像	唐	甘肅敦煌市莫高窟第66窟	
88	菩薩	唐	甘肅敦煌市莫高窟第79窟	
88	菩薩	唐	甘肅敦煌市莫高窟第79窟	
89	天王 菩薩	唐	甘肅敦煌市莫高窟第194窟	
90	菩薩	唐	甘肅敦煌市莫高窟第194窟	
91	菩薩	唐	甘肅敦煌市莫高窟第194窟	
91	天王	唐	甘肅敦煌市莫高窟第194窟	
92	阿難	唐	甘肅敦煌市莫高窟第194窟	
92	力士	唐	甘肅敦煌市莫高窟第194窟	
93	迦葉 菩薩 天王	唐	甘肅敦煌市莫高窟第264窟	
94	阿難 菩薩 天王	唐	甘肅敦煌市莫高窟第264窟	
95	阿難 菩薩 天王	唐	甘肅敦煌市莫高窟第446窟	
96	佛龕塑像	唐	甘肅敦煌市莫高窟第319窟	
97	菩薩	唐	甘肅敦煌市莫高窟第319窟	
98	迦葉 菩薩	唐	甘肅敦煌市莫高窟第444窟	
99	供養菩薩	唐	甘肅敦煌市莫高窟第444窟	

頁碼	名稱	時代	出土發現地	收藏地
99	供養菩薩	唐	甘肅敦煌市莫高窟第445窟	
100	涅槃像	唐	甘肅敦煌市莫高窟第158窟	
102	倚坐佛	唐	甘肅敦煌市莫高窟第158窟	
103	立佛	唐	甘肅敦煌市莫高窟第158窟	
104	阿難 菩薩 天王	唐	甘肅敦煌市莫高窟第159窟	
105	迦葉 菩薩 天王	唐	甘肅敦煌市莫高窟第159窟	
106	菩薩	唐	甘肅敦煌市莫高窟第159窟	
106	菩薩	唐	甘肅敦煌市莫高窟第159窟	
107	高僧像	唐	甘肅敦煌市莫高窟第17窟	
108	天王	唐	甘肅敦煌市莫高窟第18窟	
108	菩薩	唐	甘肅敦煌市莫高窟第196窟	
109	佛龕塑像	唐	甘肅敦煌市莫高窟第91窟	
110	供養菩薩	唐	甘肅敦煌市莫高窟千相塔	敦煌研究院
111	坐佛	五代十國	甘肅敦煌市莫高窟第99窟	
112	天王	五代十國	甘肅敦煌市莫高窟第261窟	
112	菩薩	北宋	甘肅敦煌市莫高窟第368窟	
113	坐佛	北宋	甘肅敦煌市莫高窟第289窟	
114	天王	北宋	甘肅敦煌市莫高窟第55窟	
114	天王	北宋	甘肅敦煌市莫高窟第55窟	
115	迦葉	北宋	甘肅敦煌市莫高窟第111窟	俄羅斯艾爾米塔什博物館
115	阿難	北宋	甘肅敦煌市莫高窟第111窟	俄羅斯艾爾米塔什博物館
116	菩薩	北宋	甘肅敦煌市莫高窟第111窟	俄羅斯艾爾米塔什博物館
117	菩薩	西夏	甘肅敦煌市莫高窟第65窟	
117	菩薩	西夏	甘肅敦煌市莫高窟第65窟	
118	菩薩 弟子	西夏	甘肅敦煌市莫高窟第265窟	
119	佛龕塑像	西夏	甘肅敦煌市莫高窟第263窟	
120	藻井雕飾	西夏	甘肅敦煌市莫高窟第234窟	

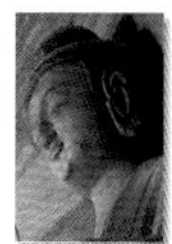

甘肅河西走廊石窟（公元四〇一年至公元九〇七年）

頁碼	名稱	時代	出土發現地	收藏地
121	佛龕塑像	北魏	甘肅肅南裕固族自治縣金塔寺石窟東窟	

頁碼	名稱	時代	出土發現地	收藏地
122	坐佛	北魏	甘肅肅南裕固族自治縣金塔寺石窟東窟	
123	三佛	北魏	甘肅肅南裕固族自治縣金塔寺石窟東窟	
124	釋迦苦修像	北魏	甘肅肅南裕固族自治縣金塔寺石窟東窟	
124	飛天	北魏	甘肅肅南裕固族自治縣金塔寺石窟東窟	
125	菩薩	北魏	甘肅肅南裕固族自治縣金塔寺石窟東窟	
125	倚坐佛	北魏	甘肅肅南裕固族自治縣金塔寺石窟西窟	
126	菩薩	北魏	甘肅肅南裕固族自治縣金塔寺石窟西窟	
126	密迹金剛	北魏	甘肅肅南裕固族自治縣金塔寺石窟西窟	
127	倚坐佛	唐	甘肅武威市天梯山石窟第13窟	
128	坐佛	唐	甘肅武威市天梯山石窟第2窟	甘肅省博物館
128	菩薩	唐	甘肅武威市天梯山石窟第2窟	甘肅省博物館
129	坐佛	唐	甘肅武威市天梯山石窟第3窟	甘肅省博物館
129	菩薩	唐	甘肅武威市天梯山石窟第3窟	甘肅省博物館

甘肅炳靈寺石窟（公元三八五年至公元一六四四年）

頁碼	名稱	時代	出土發現地	收藏地
130	坐佛	西秦	甘肅永靖縣炳靈寺石窟第169窟	
130	佛頭像	西秦	甘肅永靖縣炳靈寺石窟第169窟	
131	坐佛	西秦	甘肅永靖縣炳靈寺石窟第169窟	
132	佛龕群	西秦	甘肅永靖縣炳靈寺石窟第169窟	
134	無量壽佛	西秦	甘肅永靖縣炳靈寺石窟第169窟	
135	觀世音菩薩	西秦	甘肅永靖縣炳靈寺石窟第169窟	
135	立佛	西秦	甘肅永靖縣炳靈寺石窟第169窟	
136	立佛	西秦	甘肅永靖縣炳靈寺石窟第169窟	
136	立佛	西秦	甘肅永靖縣炳靈寺石窟第169窟	
137	立佛	西秦	甘肅永靖縣炳靈寺石窟第169窟	
137	菩薩	西秦	甘肅永靖縣炳靈寺石窟第169窟	
138	菩薩	西秦	甘肅永靖縣炳靈寺石窟第169窟	
139	立佛	西秦	甘肅永靖縣炳靈寺石窟第169窟	
139	坐佛	西秦	甘肅永靖縣炳靈寺石窟第169窟	
140	坐佛	西秦	甘肅永靖縣炳靈寺石窟第169窟	

頁碼	名稱	時代	出土發現地	收藏地
140	苦修像	西秦	甘肅永靖縣炳靈寺石窟第169窟	
141	三佛	西秦–北魏	甘肅永靖縣炳靈寺石窟第169窟	
141	坐佛	西秦–北魏	甘肅永靖縣炳靈寺石窟第169窟	
142	坐佛	北魏	甘肅永靖縣炳靈寺石窟第172窟	
142	坐佛	北魏	甘肅永靖縣炳靈寺石窟第126窟	
143	菩薩	北魏	甘肅永靖縣炳靈寺石窟第126窟	
143	交脚菩薩	北魏	甘肅永靖縣炳靈寺石窟第132窟	
144	二佛并坐	北魏	甘肅永靖縣炳靈寺石窟第132窟	
145	坐佛	北魏	甘肅永靖縣炳靈寺石窟第132窟	
146	菩薩	北魏	甘肅永靖縣炳靈寺石窟第2龕	
146	坐佛	北周	甘肅永靖縣炳靈寺石窟第6窟	
147	五佛	北周	甘肅永靖縣炳靈寺石窟第172窟	
147	坐佛	北周	甘肅永靖縣炳靈寺石窟第172窟	
148	坐佛	北周	甘肅永靖縣炳靈寺石窟第172窟	
148	坐佛	唐	甘肅永靖縣炳靈寺石窟第23龕	
149	菩薩	唐	甘肅永靖縣炳靈寺石窟第21龕	
149	菩薩 天王	唐	甘肅永靖縣炳靈寺石窟第28龕	
150	菩薩	唐	甘肅永靖縣炳靈寺石窟第30龕	
150	五尊像	唐	甘肅永靖縣炳靈寺石窟第31龕	
151	倚坐佛	唐	甘肅永靖縣炳靈寺石窟第34龕	
152	菩薩	唐	甘肅永靖縣炳靈寺石窟第41龕	
152	菩薩	唐	甘肅永靖縣炳靈寺石窟第45龕	
153	坐佛	唐	甘肅永靖縣炳靈寺石窟第54龕	
154	立佛	唐	甘肅永靖縣炳靈寺石窟第64龕	
155	石塔	唐	甘肅永靖縣炳靈寺石窟第3窟	
156	倚坐佛	唐	甘肅永靖縣炳靈寺石窟第3窟	
156	菩薩	唐	甘肅永靖縣炳靈寺石窟第3窟	
157	菩薩	唐	甘肅永靖縣炳靈寺石窟第3窟	
157	倚坐佛	唐	甘肅永靖縣炳靈寺石窟第4窟	
158	迦葉	唐	甘肅永靖縣炳靈寺石窟第4窟	
158	菩薩	唐	甘肅永靖縣炳靈寺石窟第4窟	
159	天王	唐	甘肅永靖縣炳靈寺石窟第92窟	
159	倚坐佛	唐	甘肅永靖縣炳靈寺石窟第168窟	
160	迦葉 菩薩	唐	甘肅永靖縣炳靈寺石窟第168窟	

頁碼	名稱	時代	出土發現地	收藏地
161	菩薩	唐	甘肅永靖縣炳靈寺石窟第168窟	
161	天王	唐	甘肅永靖縣炳靈寺石窟第168窟	
162	倚坐佛	唐	甘肅永靖縣炳靈寺石窟第171龕	
163	天王	唐	甘肅永靖縣炳靈寺石窟第147窟	
163	阿難	唐	甘肅永靖縣炳靈寺石窟第10窟	
164	拄劍天王	唐	甘肅永靖縣炳靈寺石窟第10窟	
165	菩薩	唐	甘肅永靖縣炳靈寺石窟第10窟	
165	立佛	唐	甘肅永靖縣炳靈寺石窟第48龕	
166	坐佛	西夏	甘肅永靖縣炳靈寺石窟第46龕	
166	十一面觀音	明	甘肅永靖縣炳靈寺石窟第70窟	

甘肅麥積山石窟（公元三九四年至公元一一二七年）

頁碼	名稱	時代	出土發現地	收藏地
167	坐佛	北魏	甘肅天水市麥積山石窟第78龕	
169	坐佛	北魏	甘肅天水市麥積山石窟第78龕	
170	菩薩	北魏	甘肅天水市麥積山石窟第74窟	
171	坐佛	北魏	甘肅天水市麥積山石窟第74龕	
171	菩薩	北魏	甘肅天水市麥積山石窟第80窟	
172	菩薩	北魏	甘肅天水市麥積山石窟第69龕	
172	彌勒菩薩	北魏	甘肅天水市麥積山石窟第169龕	
173	坐佛 菩薩	北魏	甘肅天水市麥積山石窟第23窟	
174	菩薩	北魏	甘肅天水市麥積山石窟第76窟	
174	坐佛	北魏	甘肅天水市麥積山石窟第114窟	
175	力士	北魏	甘肅天水市麥積山石窟第154窟	
175	迦葉	北魏	甘肅天水市麥積山石窟第85窟	
176	菩薩	北魏	甘肅天水市麥積山石窟第85窟	
176	菩薩	北魏	甘肅天水市麥積山石窟第139窟	
177	力士	北魏	甘肅天水市麥積山石窟第83窟	
177	菩薩	北魏	甘肅天水市麥積山石窟第122窟	
178	菩薩 弟子	北魏	甘肅天水市麥積山石窟第121窟	
179	二菩薩	北魏	甘肅天水市麥積山石窟第121窟	

頁碼	名稱	時代	出土發現地	收藏地
180	彌勒菩薩	北魏	甘肅天水市麥積山石窟第133窟	
181	菩薩	北魏	甘肅天水市麥積山石窟第133窟第1號龕	
181	阿難	北魏	甘肅天水市麥積山石窟第133窟第9號龕	
182	菩薩	北魏	甘肅天水市麥積山石窟第142窟	
183	阿難	北魏	甘肅天水市麥積山石窟第142窟	
183	菩薩	北魏	甘肅天水市麥積山石窟第142窟	
184	坐佛	北魏	甘肅天水市麥積山石窟第140窟	
184	菩薩	北魏	甘肅天水市麥積山石窟第163窟	
185	坐佛	北魏	甘肅天水市麥積山石窟第16窟	
186	石雕造像碑	北魏	甘肅天水市麥積山石窟第133窟	
187	石雕造像碑	北魏	甘肅天水市麥積山石窟第133窟	
189	石雕造像碑	北魏	甘肅天水市麥積山石窟第133窟	
190	坐佛	西魏	甘肅天水市麥積山石窟第102窟	
190	弟子	西魏	甘肅天水市麥積山石窟第102窟	
191	維摩詰	西魏	甘肅天水市麥積山石窟第102窟	
191	文殊菩薩	西魏	甘肅天水市麥積山石窟第123窟	
192	菩薩 迦葉	西魏	甘肅天水市麥積山石窟第123窟	
193	侍者	西魏	甘肅天水市麥積山石窟第123窟	
194	侍者	西魏	甘肅天水市麥積山石窟第123窟	
195	坐佛	西魏	甘肅天水市麥積山石窟第127窟	
196	頭光雕飾	西魏	甘肅天水市麥積山石窟第127窟	
197	菩薩	西魏	甘肅天水市麥積山石窟第127窟	
197	菩薩	西魏	甘肅天水市麥積山石窟第127窟	
198	菩薩	西魏	甘肅天水市麥積山石窟第127窟	
199	立佛	西魏	甘肅天水市麥積山石窟第135窟	
200	坐佛	西魏	甘肅天水市麥積山石窟第135窟	
201	坐佛	西魏	甘肅天水市麥積山石窟第44窟	
203	菩薩	西魏	甘肅天水市麥積山石窟第44窟	
203	阿難	西魏	甘肅天水市麥積山石窟第44窟	
204	菩薩	西魏	甘肅天水市麥積山石窟第87窟	
205	迦葉	西魏	甘肅天水市麥積山石窟第87窟	
205	坐佛	西魏	甘肅天水市麥積山石窟第146龕	
206	坐佛	西魏	甘肅天水市麥積山石窟第147龕	
206	比丘	西魏	甘肅天水市麥積山石窟第92窟	

頁碼	名稱	時代	出土發現地	收藏地
207	坐佛	西魏	甘肅天水市麥積山石窟第60龕	
207	菩薩	西魏	甘肅天水市麥積山石窟第60龕	
208	坐佛	北周	甘肅天水市麥積山石窟第141窟	
209	坐佛	北周	甘肅天水市麥積山石窟第22窟	
210	坐佛	北周	甘肅天水市麥積山石窟第62窟	
211	菩薩	北周	甘肅天水市麥積山石窟第62窟	
212	倚坐佛	北周	甘肅天水市麥積山石窟第135窟	
212	菩薩	北周	甘肅天水市麥積山石窟第47窟	
213	天神	北周	甘肅天水市麥積山石窟第4窟	
214	天神	北周	甘肅天水市麥積山石窟第4窟	
214	天神	北周	甘肅天水市麥積山石窟第4窟	
215	天神	北周	甘肅天水市麥積山石窟第4窟	
215	力士	北周	甘肅天水市麥積山石窟第48窟	
216	立佛 菩薩	隋	甘肅天水市麥積山石窟第98龕	
218	倚坐佛 菩薩	隋	甘肅天水市麥積山石窟第13龕	
219	坐佛	隋	甘肅天水市麥積山石窟第5窟	
220	阿難	隋	甘肅天水市麥積山石窟第12窟	
220	菩薩	隋	甘肅天水市麥積山石窟第12窟	
221	菩薩	隋	甘肅天水市麥積山石窟第37龕	
221	菩薩	隋	甘肅天水市麥積山石窟第24窟	
222	菩薩	隋	甘肅天水市麥積山石窟第78龕	
222	羅睺羅	北宋	甘肅天水市麥積山石窟第133窟	
223	力士	北宋	甘肅天水市麥積山石窟第4窟	
223	菩薩	北宋	甘肅天水市麥積山石窟第43窟	
224	力士	北宋	甘肅天水市麥積山石窟第43窟	
225	菩薩 侍者	北宋	甘肅天水市麥積山石窟第165窟	
226	觀世音菩薩	北宋	甘肅天水市麥積山石窟第165窟	
226	阿難	北宋	甘肅天水市麥積山石窟第191龕	
227	迦樓羅	北宋	甘肅天水市麥積山石窟第191龕	
227	獅子	北宋	甘肅天水市麥積山石窟第191龕	

甘肅北石窟寺（公元五〇九年至公元九〇七年）

頁碼	名稱	時代	出土發現地	收藏地
228	天王	北魏	甘肅慶陽市北石窟寺第165窟	
228	立佛	北魏	甘肅慶陽市北石窟寺第165窟	
229	二佛	北魏	甘肅慶陽市北石窟寺第165窟	
230	飛天	北魏	甘肅慶陽市北石窟寺第165窟	
231	菩薩	北魏	甘肅慶陽市北石窟寺第165窟	
232	阿修羅天	北魏	甘肅慶陽市北石窟寺第165窟	
233	普賢菩薩	北魏	甘肅慶陽市北石窟寺第165窟	
234	彌勒菩薩	北魏	甘肅慶陽市北石窟寺第165窟	
235	供養人	北魏	甘肅慶陽市北石窟寺第244窟	
235	獨角獸	北魏	甘肅慶陽市北石窟寺第1窟	
236	坐佛	北周	甘肅慶陽市北石窟寺第240窟	
237	坐佛	唐	甘肅慶陽市北石窟寺第222窟	
237	坐佛	唐	甘肅慶陽市北石窟寺第222窟	
238	倚坐佛	唐	甘肅慶陽市北石窟寺第222窟	
238	坐佛	唐	甘肅慶陽市北石窟寺第263窟	
239	弟子 菩薩	唐	甘肅慶陽市北石窟寺第263窟	

甘肅東部其他石窟（公元五一〇年至公元一一二七年）

頁碼	名稱	時代	出土發現地	收藏地
240	七佛	北魏	甘肅涇川縣南石窟寺第1窟	
241	立佛	北魏	甘肅涇川縣南石窟寺第1窟	
242	佛傳故事	北魏	甘肅涇川縣南石窟寺第1窟	
242	佛傳故事	北魏	甘肅涇川縣南石窟寺第1窟	
243	十佛像	北周	甘肅武山縣拉梢寺	
244	坐佛	北周	甘肅武山縣拉梢寺	
245	浮雕瑞獸	北周	甘肅武山縣拉梢寺	

頁碼	名稱	時代	出土發現地	收藏地
246	立佛	北宋	甘肅武山縣拉梢寺	
248	倚坐佛	唐	甘肅甘谷縣大像山石窟	

新疆石窟

新疆石窟最早開鑿于公元四世紀，現存塑像最早爲公元六世紀作品。洞窟中塑像皆被盗走。

泥塑菩薩頭像

公元6世紀
出于新疆拜城縣克孜爾石窟第77窟。
殘高38厘米。
菩薩額上頭髮爲波狀曲髮，頭上飾蓮瓣狀頭飾。
現藏德國柏林印度藝術博物館。

供養天頭像

公元6世紀

出于新疆拜城縣克孜爾石窟第77窟。供養天眉彎曲細長，鼻梁細高，嘴唇微閉。頭髮中分後梳，頭頂戴絞環式花冠。

現藏德國柏林印度藝術博物館。

泥塑菩薩頭像

公元6世紀
出于新疆拜城縣克孜爾石窟第77窟。
殘高27厘米。
菩薩頭戴紅色和綠色髮飾，眉間描紅綫裝飾。
現藏德國柏林印度藝術博物館。

泥塑人面象身像

公元6世紀
出于新疆拜城縣克孜爾石窟。
高63.5厘米。

此尊塑像頭部爲女性頭部，但身體部分用象的頭部表現，有耳、眼和鼻，象頭下面爲一隻象足。塑像夾于兩根柱之間，可能是大型尊像寶座的一部分。
現藏德國柏林印度藝術博物館。

泥塑菩薩胸像

公元7世紀
出于新疆拜城縣克孜爾石窟第77窟。
殘高35厘米。
菩薩頭戴藍色和綠色髮飾，長髮垂肩。頸帶項圈。
現藏德國柏林印度藝術博物館。

泥塑立佛

公元7世紀
出于新疆拜城縣克孜爾石窟第77窟。
高65.5厘米。
佛右足稍稍邁出，作行走狀。
現藏德國柏林印度藝術博物館。

木雕立佛

公元7世紀
出于新疆拜城縣克孜爾石窟第76窟。
高19.9厘米。
佛立于龕内，着袒右袈裟。
現藏德國柏林印度藝術博物館。

木雕坐佛

公元7世紀
出于新疆拜城縣克孜爾石窟第76窟。
高18.3厘米。
佛坐于方座之上，手殘失，應結禪定印，身着通肩袈裟。像上殘留鎏金痕迹。
現藏德國柏林印度藝術博物館。

木雕坐佛

公元7世紀
出于新疆拜城縣克孜爾石窟第76窟。
高13厘米。
像上殘留彩繪痕迹。
現藏德國柏林印度藝術博物館。

木雕坐佛

公元7世紀
出于新疆拜城縣克孜爾石窟第76窟。
高16.3厘米。
佛背光和頭光上殘留五身化佛。像表面施彩，臉、手部爲肉色，袈裟表面塗紅色。
現藏德國柏林印度藝術博物館。

木雕坐佛

公元7世紀
出于新疆拜城縣克孜爾石窟第76窟。
高16.5厘米。
佛手結禪定印，坐于雲座之上。佛身後有火焰紋背光。身上殘留彩繪痕迹。
現藏德國柏林印度藝術博物館。

木雕立佛

公元7世紀
出于新疆拜城縣克孜爾石窟第76窟。
高18.6厘米。
佛着袒右袈裟，右手提袈裟衣角，左手持蓮蕾。
現藏德國柏林印度藝術博物館。

木雕立佛

公元7世紀
出于新疆拜城縣克孜爾石窟第76窟。
殘高20.4厘米。
佛像上殘留彩繪和金箔痕迹。
現藏德國柏林印度藝術博物館。

木雕交脚菩薩

公元7世紀
出于新疆拜城縣克孜爾石窟第76窟。
高16厘米。
菩薩交脚坐于高座上，頭戴花冠，長髮垂于肩。
現藏德國柏林印度藝術博物館。

木雕坐佛

公元8世紀
出于新疆拜城縣克孜爾石窟第76窟。
高11.2厘米。
佛交脚坐于方座上，着袒右袈裟。身上有彩繪和金箔痕迹。此尊雕像風格不同于同窟所出其它雕像。
現藏德國柏林印度藝術博物館。

坐佛

公元6世紀

位于新疆庫車縣庫木吐喇石窟谷口區第20窟入口西壁龕。

坐佛舟形背光，肉髻偏小，内着僧祇支，外披偏衫袈裟，結跏趺坐于方形雙獅座上，手作禪定印。此佛像近年被盗。

泥塑弟子頭部

公元7世紀
出于新疆庫車縣庫木吐喇石窟。
殘高32厘米。
從頭像看爲漢人形象。
現藏法國巴黎吉美美術館。

泥塑菩薩

公元7世紀
出于新疆庫車縣庫木吐喇石窟。
殘高35、殘寬22厘米。
菩薩頭戴花飾，頸飾項圈。
現藏法國巴黎吉美美術館。

泥塑菩薩頭像

公元7世紀
出于新疆庫車縣庫木吐喇石窟。
殘高20厘米。
菩薩原戴寶冠，已不存。
現藏日本鎌倉市絲綢之路研究所。

泥塑女子（右圖）

公元7–8世紀
出于新疆庫車縣庫木吐喇石窟。
高39.5厘米。
女子露乳，肩披帔帛，身穿長裙，腰部繫紅巾。
現藏德國柏林印度藝術博物館。

敦煌莫高窟

敦煌莫高窟位于甘肅敦煌市東南鳴沙山東麓，據文獻記載創建于前秦建元二年（公元 366年）。現存北凉、北魏、西魏、北周、隋、唐、五代十國、北宋、回鶻高昌、西夏和元各個朝代營建修繕的洞窟共七百三十五個。彩繪塑像共保存兩千四百多身，多爲木骨泥塑。

交脚坐佛

北凉

位于甘肅敦煌市莫高窟第268窟西壁。

圓拱龕内佛交脚坐，波狀髮，高肉髻，額上有白毫，内着僧祇支，外披袒右袈裟。頭部爲宋代補塑。

思惟菩薩

北凉

位于甘肅敦煌市莫高窟第275窟北壁上層。

龕内菩薩半跏坐于帛座上，圓形頭光，身繞帔帛，戴項圈，挂瓔珞，作思惟狀。

交脚彌勒菩薩

北凉

位于甘肅敦煌市莫高窟第275窟西壁。

彌勒菩薩交脚而坐，圓形頭光，内飾蓮花、火焰等紋飾，戴寶冠，上有化佛，戴項圈、臂釧，身挂瓔珞，繞帔帛，下束裙，背靠爲三角形，兩側有二立獅。

交脚菩薩

北凉

位于甘肅敦煌市莫高窟第275窟北壁上層。

闕形龕内菩薩交脚坐，頭戴三珠寶冠，袒上身，繞帔帛，戴項圈，挂瓔珞，下束裙，作說法狀。

脇侍菩薩

北魏

位于甘肅敦煌市莫高窟第259窟西壁龕外南側。

菩薩戴冠，長髮披肩，戴項圈、臂釧，身繞帔帛，挂長瓔珞，下束裙，裙輕薄貼體。

天宫菩薩

北凉

位于甘肅敦煌市莫高窟第275窟南壁上層。

龕内塑交脚菩薩，坐于金剛座上，頭戴三珠冠，手結轉法輪印。

二佛并坐

北魏

位于甘肅敦煌市莫高窟第259窟中心柱西向面。

龕形爲圓拱形，龕梁尾爲束帛。龕内釋迦、多寶二佛火焰身光，上有傘蓋，佛波狀髮，着袒右袈裟，半跏坐。龕兩側爲脅侍菩薩。

佛 菩薩（上圖）

北魏

位于甘肅敦煌市莫高窟第431窟中心柱西向面。

主尊佛倚坐龕中，兩身供養菩薩恭立龕外兩側。

佛 菩薩

北魏

位于甘肅敦煌市莫高窟第431窟中心柱北向面上層圓券龕内。

龕内塑趺坐禪定佛，龕外兩側各塑一身立姿供養菩薩。

交脚菩薩

北魏

位于甘肅敦煌市莫高窟第254窟南壁前部上層。

闕形龕内彌勒菩薩戴寶冠，長髮披肩，袒上身，繞帔帛，戴項圈，佩蛇形飾，下束裙，交脚坐。

思惟菩薩

北魏

位于甘肅敦煌市莫高窟第257窟中心柱南向面上層。

闕形龕尾檐内垂帷帳，龕内菩薩戴寶冠，披風巾，袒上身，戴項圈，下束裙，半跏坐，右手手指支頤，作思惟狀。

倚坐佛

北魏

位于甘肅敦煌市莫高窟第251窟中心柱東向面。

圓拱尖形龕楣，龕梁尾爲二龍反顧。龕内佛火焰背光，高肉髻，眉間有白毫，内着僧祇支，外披袈裟，倚坐。龕兩側爲脅侍菩薩。

佛龕塑像

北魏

位于甘肅敦煌市莫高窟第435窟中心柱東向面和南向面。中心柱東向面圓拱龕内爲倚坐佛，高肉髻，着袒右袈裟；龕上方爲影塑一佛二菩薩和聽法菩薩，龕兩側爲力士。南向面分兩層，上層闕形龕内爲交脚菩薩，龕兩側爲脅侍菩薩；下層圓拱龕内爲坐佛，作禪定狀。

力士

北魏

位于甘肅敦煌市莫高窟第435窟中心柱東向龕南側。

力士逆髮、大耳、立眉、虎目、牛鼻、大嘴，體瘦骨現。袒上身，雙肩搭披巾，着長裙，穿氈鞋。

力士

北魏

位于甘肅敦煌市莫高窟第435窟中心柱東向龕北側。

力士面目猙獰，身繞帔帛交于腹前，下束戰裙，脚着氈鞋。

釋迦苦修像

北魏

位于甘肅敦煌市莫高窟第248窟中心柱西向龕。

龕内坐佛面容和身軀瘦削，高肉髻，波狀髮，内着僧祇支，外披袈裟，表現釋迦苦修。

供養菩薩

北魏

位于甘肅敦煌市莫高窟第248窟中心柱東向龕。

菩薩有頭光，弁束高髻，斜披羅衣，雙手捧蓮蕾，胡跪于蓮瓣座上。

倚坐佛（上圖）

北魏

位于甘肅敦煌市莫高窟第437窟中心柱東向面圓券龕內。龕內塑倚坐佛説法，龕外兩側各塑一身立姿胡裝脅侍菩薩。

龕楣浮雕飛天

北魏

位于甘肅敦煌市莫高窟第437窟中心柱東向面圓券龕內。龕上影塑一立佛二立菩薩，兩側影塑飛天，飛天皆面向中央飛翔。

龕楣浮雕飛天

北魏

位于甘肅敦煌市莫高窟第437窟中心柱東向面圓券龕内。飛天均呈側身飛行狀。

禪僧

西魏

位于甘肅敦煌市莫高窟第285窟主室西壁南側龕内。

禪僧着圓領通肩田相袈裟。

倚坐佛

西魏

位于甘肅敦煌市莫高窟第249窟西壁。

圓拱龕楣内爲忍冬、流雲和蓮花化生，楣尾爲二龍反顧，龕柱柱頭爲束帛。龕内坐佛舟形火焰背光，内着僧祇支，外披雙領下垂式袈裟，衣紋綫凸起，呈水波狀居中下垂，倚坐。

佛龕

西魏

位于甘肅敦煌市莫高窟第432窟中心柱東向面。

圓拱尖形龕楣外圈飾忍冬紋，内爲蓮花化生，龕梁爲二龍反顧。龕内坐佛火焰背光，褒衣博帶，倚坐，作説法狀。龕兩側爲脅侍菩薩。

迦葉

北周

位于甘肅敦煌市莫高窟第439窟西壁龕内北側。

迦葉形象爲一位和藹可親的老者，身形消瘦。

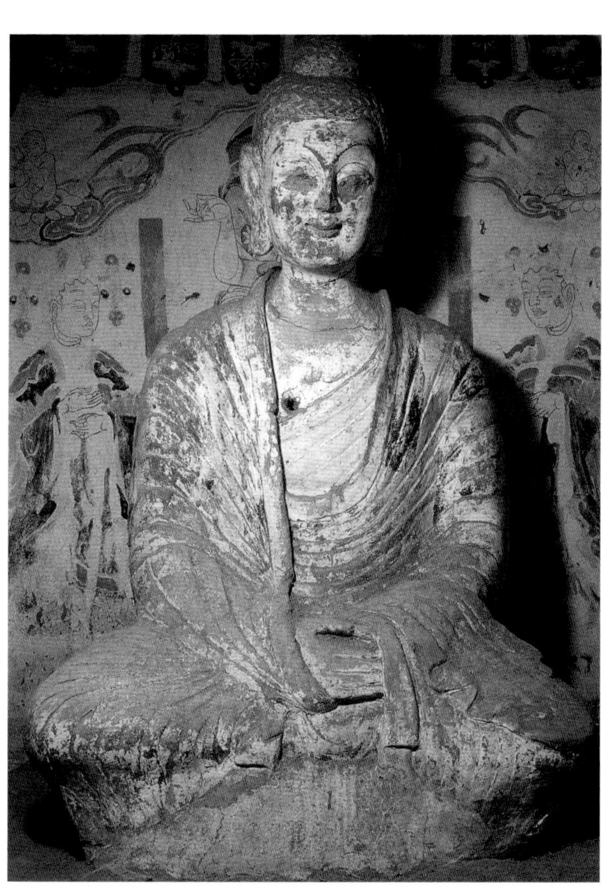

坐佛

西魏

位于甘肅敦煌市莫高窟第355窟西壁盝頂帳形龕内。

第355窟是宋代窟，西夏重修，此尊西魏時期佛像是由他處移置于此窟的。佛高肉髻，波狀髮，内着僧祇支，外披雙領下垂式袈裟，手作禪定印。

佛龕塑像

北周

位于甘肅敦煌市莫高窟第428窟中心柱東向面。

圓拱尖形龕楣，龕梁爲二龍。龕内佛結跏趺坐，舟形火焰背光，高肉髻，額上有白毫，内着僧祇支，外披雙領下垂式袈裟，作説法狀。龕内兩側爲佛弟子，龕外兩側爲脅侍菩薩。

佛龕塑像

北周

位于甘肅敦煌市莫高窟第299窟主室西壁。

龕內塑倚坐佛和二弟子，龕外塑二供養菩薩。

佛龕塑像

北周

位于甘肅敦煌市莫高窟第290窟中心柱東向面。

圓拱尖形龕楣飾蓮花、忍冬和化生童子，龕梁尾爲二龍反顧，龕柱爲纏蓮柱。龕内坐佛火焰背光，高肉髻。兩側爲弟子。龕兩側爲脅侍菩薩。

脅侍菩薩

北周

位于甘肅敦煌市莫高窟第290窟中心柱南向龕西側。

菩薩有頭光，頭戴寶冠，寶繒下垂，袒上身，戴項圈，繞帔帛交于腹前環形飾上，右手提桃形物。

佛龕塑像

北周

位于甘肅敦煌市莫高窟第297窟西壁。

圓拱尖形龕楣内爲二龍纏繞，旁爲羽人，楣尾飾忍冬紋。龕内佛倚坐，背光飾火焰紋和坐佛，肉髻低平，左手作與願印，右手作施無畏印，兩側爲佛弟子。龕兩側脅侍菩薩袒上身，挂瓔珞，繞帔帛。

天人

北周

位于甘肅敦煌市莫高窟第297窟主室西壁龕楣。

天人頭生雙角，臂有翼，裸體着獨鼻短褌。

釋迦説法像

隋

位于甘肅敦煌市莫高窟第304窟西壁。

龕内主像爲倚坐佛，佛兩側各立一弟子，龕外兩側各塑一脅侍菩薩。

脅侍菩薩

隋

位于甘肅敦煌市莫高窟第304窟西壁北側。

菩薩桃形頭光，戴寶冠、項圈，袒上身，挂瓔珞，繞帔帛，左手提净瓶，赤足立于蓮座上。

天王

隋

位于甘肅敦煌市莫高窟第427窟前室南壁西側。

天王桃形頭光，戴寶冠，身披魚鱗戰甲，繞帔帛，穿高靴，足下踏一地鬼。

坐佛

隋

位于甘肅敦煌市莫高窟第56窟西壁。

龕内塑結跏趺坐釋迦佛，兩旁侍立迦葉、阿難和脅侍菩薩。

交脚菩薩 脅侍菩薩

隋

位于甘肅敦煌市莫高窟第383窟南壁斜頂圓券内。

主尊爲説法的交脚菩薩，寶冠飾帶，上身披大巾，下着裙。左右塑立姿脅侍菩薩。

立佛

隋

位于甘肅敦煌市莫高窟第427窟主室南壁前部。
立佛與菩薩皆無背光，赤足立于蓮座上，背景爲千佛。

立佛

隋

位于甘肅敦煌市莫高窟第427窟主室北壁前部。

立佛桃形火焰頭光，肉髻低平，着通肩袈裟，右手作施無畏印。兩側菩薩戴寶冠，着僧袛支，挂長瓔珞，下束裙，赤足立于蓮座上。

立佛

隋

位于甘肅敦煌市莫高窟第427窟中心柱東向面。

立佛肉髻高大光滑，着通肩袈裟，衣紋綫稀疏，左手作與願印，右手作施無畏印。兩側脅侍菩薩均着僧祇支，挂長瓔珞，裝飾華麗。

迦葉

隋

位于甘肅敦煌市莫高窟第427窟中心柱北向面龕。

迦葉着圓領通肩袈裟，雙手合十，立于蓮臺上。

阿難

隋

位于甘肅敦煌市莫高窟第427窟主室中心柱西向面龕。

阿難身着圓領通肩袈裟，雙手合十，赤足立于蓮花臺上。

迦葉

隋

位于甘肅敦煌市莫高窟第427窟中心柱南向面龕。

迦葉爲老者形象，皺紋縱横。

阿難

隋

位于甘肅敦煌市莫高窟第427窟中心柱南向面龕。

阿難着通肩袈裟，雙手合十。

觀世音菩薩

隋

位于甘肅敦煌市莫高窟第420窟西壁龕口南側。

菩薩戴冠，寶繒下垂，袒上身，繞帔帛，戴項圈、臂釧，下束裙，上繪聯珠狩獵紋，右手執柳枝，赤足立于蓮座上。

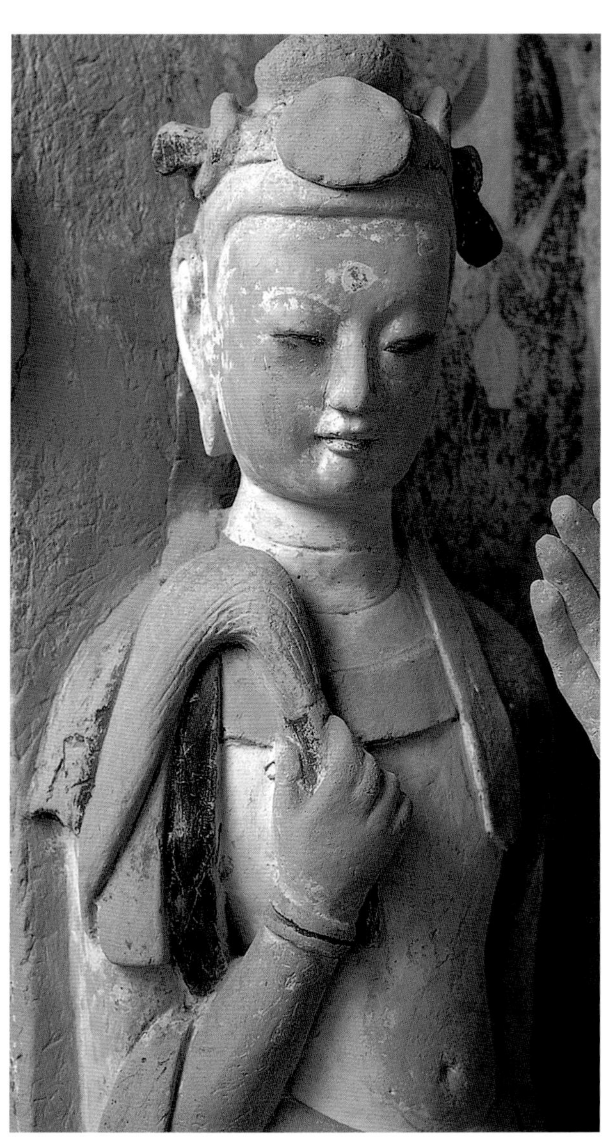

脅侍菩薩

隋

位于甘肅敦煌市莫高窟第416窟西壁龕内南側。

菩薩頭戴冠，笄束髮髻，寶繒下垂，袒上身，右手執柳枝。

坐佛

隋

位于甘肅敦煌市莫高窟第420窟主室西壁。

此龕爲雙層方口龕，内龕塑結跏趺坐佛和二弟子二菩薩，外龕左右兩側各塑一身菩薩。

佛龕塑像

隋

位于甘肅敦煌市莫高窟第419窟西壁。

龕内塑一佛二弟子二菩薩，主尊佛結跏趺坐于須彌座上，手結印，着圓領通肩田相袈裟。

迦葉 菩薩

隋

位于甘肅敦煌市莫高窟第419窟西龕主尊塑像左側。

迦葉外披袈裟，左手托一鉢。菩薩身繞帔帛，戴項圈、臂釧，下束裙。

阿難 菩薩

隋

位于甘肅敦煌市莫高窟第419窟。
阿難和菩薩均呈静思聽法狀。

脅侍菩薩

隋

位于甘肅敦煌市莫高窟第412窟北壁。

菩薩着僧祇支，身繞帔帛，下束裙，左手掌心托一蓮花，赤足立于蓮座上。

龍首

隋

位于甘肅敦煌市莫高窟第419窟西壁龕楣梁。

龍身體纏繞，張牙舞爪，形象凶猛，以示護法。

倚坐佛

隋

位于甘肅敦煌市莫高窟第410窟西壁龕内。

佛倚坐，火焰背光，肉髻低平，臉上有白毫，内着僧祇支，外披雙領下垂式袈裟，右手作施無畏印。

坐佛

隋

位于甘肅敦煌市莫高窟第425窟西壁。

主尊佛着通肩袈裟，手結説法印，結跏趺坐于須彌座上。佛右側爲弟子阿難和二脅侍菩薩。

甘肅敦煌莫高窟（公元三六六年至公元一三六八年）

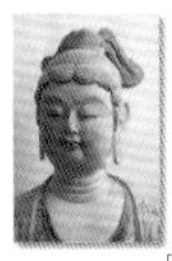

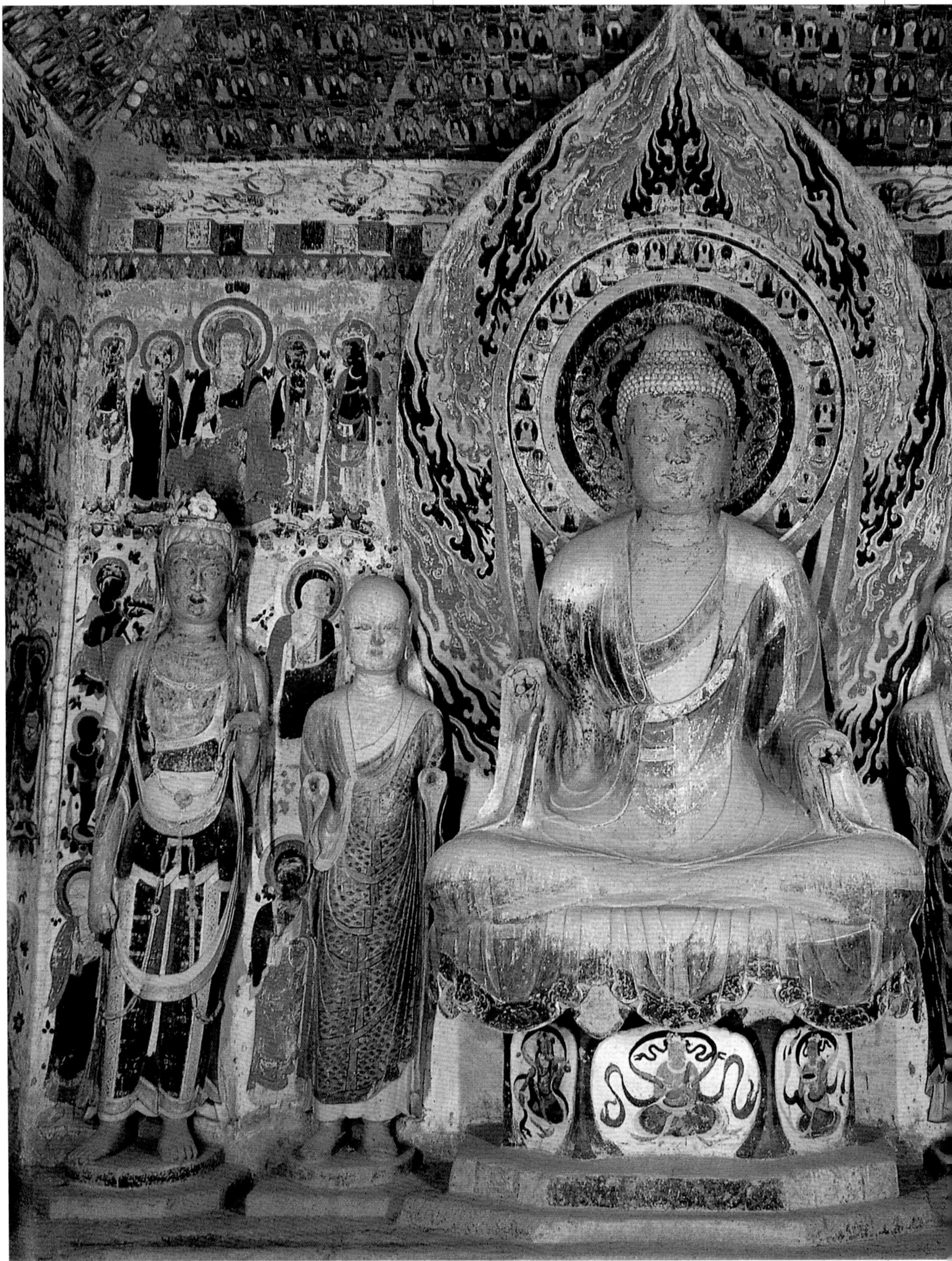

坐佛（左圖）

隋

位于甘肅敦煌市莫高窟第244窟西壁。

佛結跏趺坐于八角須彌座上，舟形火焰背光，高肉髻，螺髮，内着僧祇支，外披袈裟，兩側爲二菩薩和二弟子。

阿難

隋

位于甘肅敦煌市莫高窟第244窟西壁南側。

阿難内着僧祇支，外披雙領下垂式袈裟，面相豐滿。

立佛

隋

位于甘肅敦煌市莫高窟第244窟北壁。

主尊爲彌勒菩薩，圓形頭光，内飾坐佛，頭戴寶冠，肩上飾餅形飾，胸佩蛇形飾，挂長瓔珞，身繞帔帛，下束裙，赤足而立。兩側爲脅侍菩薩。

立佛

隋

位于甘肅敦煌市莫高窟第244窟南壁。

主尊立佛爲過去世迦葉佛，圓形頭光内飾坐佛，螺髻，内着僧祇支，外披田相紋袈裟，赤足而立。兩側爲脅侍菩薩，繞帔帛，挂長瓔珞，手執蓮蕾。

佛龕塑像

隋

位于甘肅敦煌市莫高窟第390窟北壁。

佛龕爲雙重，内層龕内菩薩倚坐，戴寶冠，着僧祇支，身繞帔帛，挂瓔珞，下束裙，赤足踏于蓮座上，兩側爲脅侍菩薩。外層龕兩側有二菩薩，赤足立于蓮座上。

佛龕塑像

唐

位于甘肅敦煌市莫高窟第57窟西壁。

佛龕爲雙重，内層龕塑坐佛及二弟子、二菩薩。外層龕左右各塑一菩薩，一尊已失。

菩薩

唐

位于甘肅敦煌市莫高窟第204窟西壁龕内北側。

菩薩頭戴寶冠，寶繒下垂，額上有白毫，袒上身，戴項圈、臂釧、手鐲，雙手合十。

菩薩

唐

位于甘肅敦煌市莫高窟第71窟西壁龕内北側。

菩薩高髻珠冠，袒上身，披長巾，下着輕薄透體長裙，赤足立于蓮臺上。

佛龕塑像

唐

位于甘肅敦煌市莫高窟第68窟西壁。

龕内塑結跏趺坐説法釋迦佛，兩旁侍立弟子迦葉、阿難和二脅侍菩薩。

坐佛説法

唐

位于甘肅敦煌市莫高窟第283窟西壁。

坐佛肉髻光滑，面相豐圓，着雙領下垂式袈裟，結跏趺坐，雙手殘。佛兩側均爲青年弟子。

迦葉

唐

位于甘肅敦煌市莫高窟第220窟西壁龕内北側。

迦葉圓形頭光，内着僧祇支，外披袈裟，雙手籠于袖内。

坐佛

唐

位于甘肅敦煌市莫高窟第322窟西壁。

佛龕爲雙重，内層龕内佛結跏趺坐于束腰八角座上，舟形火焰背光，螺髮，内着僧祇支，外披袈裟，右手作施無畏印。兩側爲二弟子和二菩薩；外層龕兩側爲二天王踏小鬼。

坐佛説法

唐

位于甘肅敦煌市莫高窟第328窟西壁龕内。

像高219厘米。

佛結跏趺坐于束腰須彌座上，身光内飾寶相石榴花，佛高肉髻，螺髮，内着僧祇支，外披袈裟，作説法狀。

菩薩

唐

位于甘肅敦煌市莫高窟第328窟西壁龕内北側。

像高190厘米。

菩薩半跏坐，圓形頭光，内飾石榴寶相花，束高髻，袒上身，戴臂釧，挂長瓔珞，斜披絡腋，身繞帔帛，下束裙，裝飾華麗。

供養菩薩

唐

位于甘肅敦煌市莫高窟第328窟西壁南側。

菩薩束高髻，袒上身，戴項圈，挂長瓔珞，下束裙，胡跪，作供養狀。

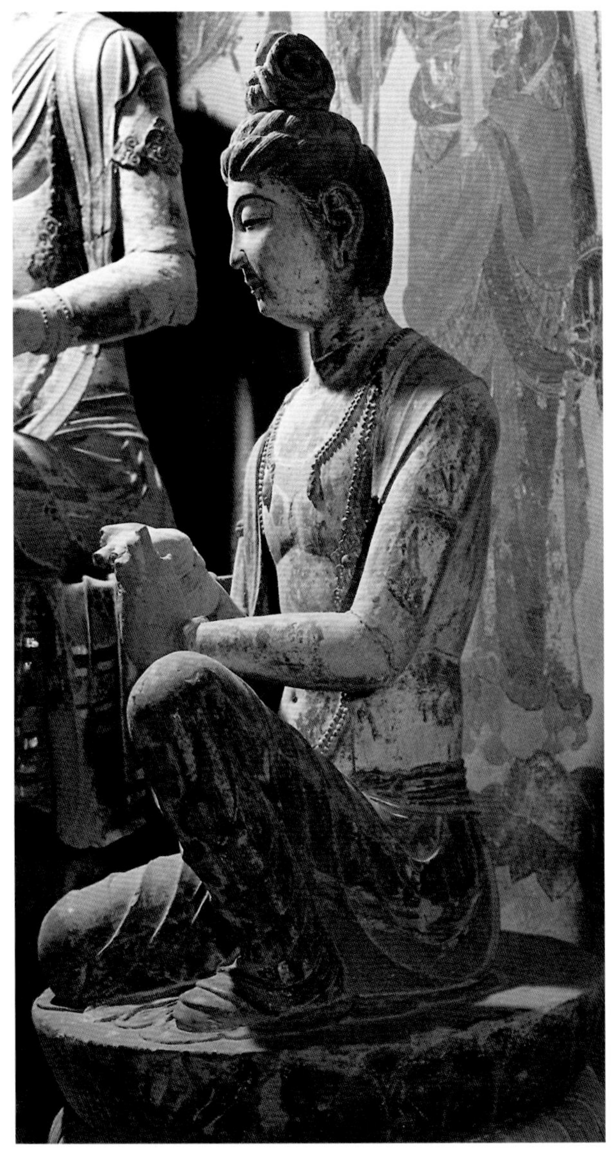

供養菩薩

唐

位于甘肅敦煌市莫高窟第328窟西壁龕内北側。

菩薩束高髻，身挂瓔珞，下着裙，胡跪。

阿難 菩薩

唐

位于甘肅敦煌市莫高窟第328窟西壁龕内主尊像右側。

阿難站姿，袖手而立；菩薩游戲坐姿，坐于束腰蓮臺高座上。

立佛

唐

位于甘肅敦煌市莫高窟第332窟中心柱東向面。

主尊佛和左脅侍菩薩皆雙手合十，右脅侍菩薩右手略有殘損，似結印。

菩薩

唐

位于甘肅敦煌市莫高窟第386窟西壁龕内主尊像右側。菩薩亭亭玉立，雲鬟高髻，裸上身，下着長裙。

二佛并坐

唐

位于甘肅敦煌市莫高窟第27窟窟頂西披。

龕内塑釋迦、多寶二佛并坐像，龕下懸空塑兩身供養菩薩。

坐佛

唐

位于甘肅敦煌市莫高窟第130窟。

坐佛頭光爲圓形，内飾寶相花、纏枝忍冬和蓮瓣等。佛波狀髮，面相豐滿，額上有白毫，頸刻三道紋。此圖爲局部。

菩薩

唐

位于甘肅敦煌市莫高窟第205窟。

菩薩游戲坐，長裙覆蔽蓮臺。

菩薩

唐

位于甘肅敦煌市莫高窟第205窟中心佛壇北側。

菩薩束高髻，頭髮用陰刻細綫表現，頸刻蠶節紋，戴項圈、臂釧。

坐佛

唐

位于甘肅敦煌市莫高窟第45窟西壁龕内。

佛結跏趺坐，舟形火焰背光，螺髻，内着僧祇支，外披袈裟。

佛龕塑像

唐

位于甘肅敦煌市莫高窟第45窟。

平頂方形敞口龕内塑一佛二弟子二菩薩二天王。主尊佛結跏趺坐于須彌座，舟形火焰背光。弟子、菩薩皆有頭光，二天王各踏一地鬼。

阿難

唐

位于甘肅敦煌市莫高窟第45窟西壁龕内南側。

阿難圓形頭光，内着交領短袖内衣，上飾變形忍冬、蓮花等紋飾，外披袒右袈裟。

菩薩

唐

位于甘肅敦煌市莫高窟第45窟西壁龕内南側。菩薩側首突胯，身體扭曲。

迦葉

唐

位于甘肅敦煌市莫高窟第45窟西壁龕内北側。迦葉有圓形頭光，着袈裟，身體瘦削。

菩薩

唐

位于甘肅敦煌市莫高窟第45窟西壁龕内北側。菩薩側首突胯，身體扭曲。

南方天王

唐

位于甘肅敦煌市莫高窟第45窟西壁龕内南側。

天王雲鬟高髻，身着鎧甲，脚踏小鬼，左手原應持物。

北方天王

唐

位于甘肅敦煌市莫高窟第45窟西壁龕内北側。

天王横眉立目，張口若吼，身着鎧甲，脚踏小鬼，右手原應持物。

菩薩

唐

位于甘肅敦煌市莫高窟第320窟西壁龕内北側。

菩薩圓形火焰頭光，束高髻，袒上身，戴項圈、臂釧，斜披絡腋，下束裙，赤足立于蓮座上。

菩薩

唐

位于甘肅敦煌市莫高窟第384窟西壁龕内南側。

菩薩圓形頭光，内飾寶相花，束高髻，戴項圈，挂瓔珞，斜披絡腋，下束裙，赤足立于臺座上。

菩薩

唐

位于甘肅敦煌市莫高窟第319窟西壁壇上北側。

菩薩束高髻，額上有白毫，戴項圈、臂釧，袒上身，繞帔帛，半跏趺坐。

佛龕塑像

唐

位于甘肅敦煌市莫高窟第66窟。

龕內塑一佛二弟子二菩薩二天王。主尊佛倚坐，脅侍弟子和菩薩站立蓮臺，護法天王脚踏小鬼。

菩薩

唐

位于甘肅敦煌市莫高窟第79窟西壁龕内北側。

菩薩呈游戲坐，袒上身，下着長裙。

菩薩

唐

位于甘肅敦煌市莫高窟第79窟西壁龕内南側。

菩薩呈游戲坐，袒上身，下着長裙。

天王 菩薩

唐

位于甘肅敦煌市莫高窟第194窟西壁龕内南側。

天王束髻，身披戰甲，脚踏于山巒之上。菩薩立于蓮座之上，身穿圓領無袖上衣，身繞帔帛。

菩薩

唐

位于甘肅敦煌市莫高窟第194窟西壁龕内南側。
菩薩臉圓體胖，袒胸露臂，衣着華麗，體態優美。

菩薩

唐

位于甘肅敦煌市莫高窟第194窟西壁龕内北側。

菩薩束高髻，袒上身，斜披絡腋，下束裙，衣紋綫凸起，上繪忍冬、蓮花、石榴花等紋樣。

天王

唐

位于甘肅敦煌市莫高窟第194窟西壁龕内北側。

天王戴盔着甲，獸頭護肩，下着戰裙，足穿高靴。

阿難

唐

位于甘肅敦煌市莫高窟第194窟西壁龕内南側。

阿難内着交領内衣，外披袈裟，立于蓮臺之上。

力士

唐

位于甘肅敦煌市莫高窟第194窟西壁北側。

力士袒上身，着飾花戰裙，肌肉凸現。

迦葉 菩薩 天王

唐

位于甘肅敦煌市莫高窟第264窟西壁。

此組造像爲主尊釋迦佛左側的脅侍弟子迦葉、菩薩和護法天王。

阿難 菩薩 天王

唐

位于甘肅敦煌市莫高窟第264窟西壁。

此組造像爲主尊釋迦佛右側的脅侍弟子阿難、菩薩和護法天王。

阿難 菩薩 天王

唐

位于甘肅敦煌市莫高窟第446窟西壁。

此組造像爲主尊佛右側脅侍弟子阿難、菩薩和護法天王。

佛龕塑像

唐

位于甘肅敦煌市莫高窟第319窟。

佛壇上塑說法釋迦佛、弟子迦葉和阿難、游戲坐二菩薩和踏鬼二天王。

菩薩

唐

位于甘肅敦煌市莫高窟第319窟西壁。

菩薩游戲坐，右脚踏蓮花，右手結印，左手撫膝。

迦葉 菩薩

唐

位于甘肃敦煌市莫高窟第444窟西壁。
迦葉和脅侍菩薩皆站姿，此迦葉不作老年形。

供養菩薩

唐

位于甘肅敦煌市莫高窟第444窟西壁。

菩薩盤腿坐束腰蓮花臺上，上身僅着絡腋，無佩飾，下身着長裙。

供養菩薩

唐

位于甘肅敦煌市莫高窟第445窟西壁。

菩薩雙臂殘失，但其神韵猶存。

涅槃像

唐

位于甘肅敦煌市莫高窟第158窟西壁壇上。

佛右卧，枕右手，高肉髻，波狀髮，面相豐滿，神情安詳。眉間有白毫，頸上有蠶節紋，身披通肩袈裟，衣紋綫凸起，枕側面繪聯珠銜綬鳥紋。此圖爲局部。

倚坐佛

唐

位于甘肅敦煌市莫高窟第158窟主室北壁。

佛外着飾團花的通肩田相袈裟，倚坐于金剛座上，左手撫膝，右手殘。

立佛

唐

位于甘肅敦煌市莫高窟第158窟主室南壁。
佛手部殘損，形體高大，外着通肩袈裟。

阿難 菩薩 天王

唐

位于甘肅敦煌市莫高窟第159窟西壁龕内南側。

阿難着田相紋袈裟，立于蓮座上。菩薩束高髻，頸刻蠶節紋，内着僧祇支，外繞披肩，披肩上繪團花、海石榴花、忍冬等紋樣。天王踏鬼而立。

迦葉 菩薩 天王

唐

位于甘肅敦煌市莫高窟第159窟西壁龕内北側。

迦葉着袒右袈裟，上繪山水、花紋等。菩薩袒上身，下束裙，裙上繪團花、忍冬等圖案。天王踏鬼而立。

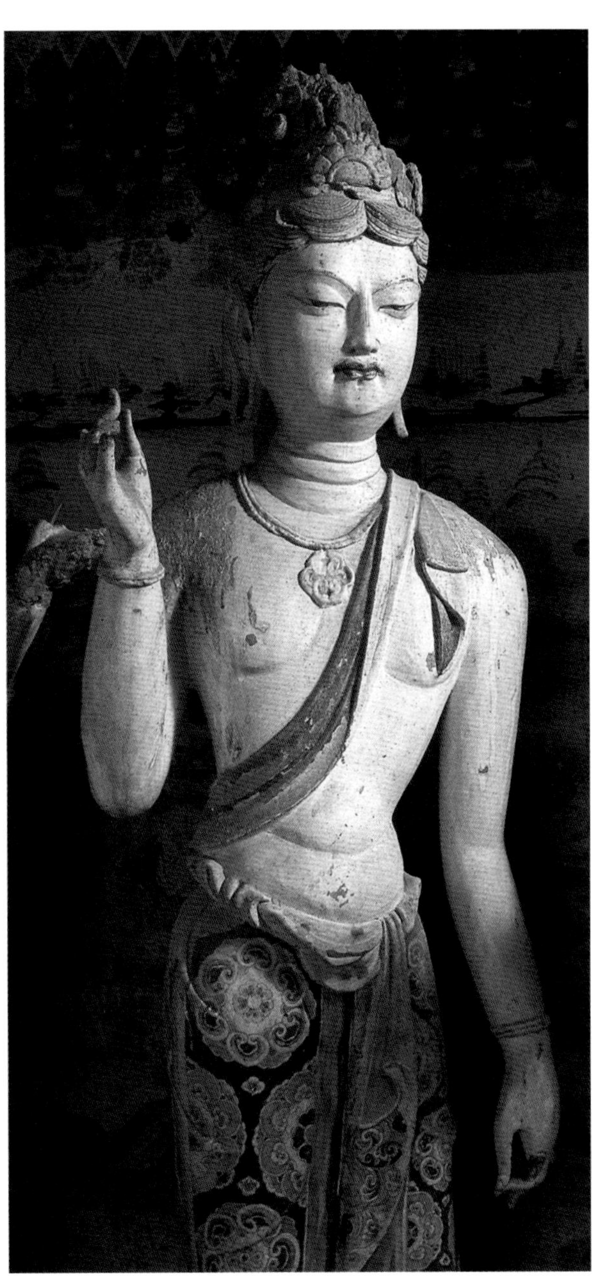

菩薩

唐

位于甘肅敦煌市莫高窟第159窟西壁龕内北側。

菩薩舉右臂，左臂下垂。手指有殘失。

菩薩

唐

位于甘肅敦煌市莫高窟第159窟西壁龕内南側。

菩薩面相略方，長眉高挑，衣飾華麗。左手有殘失。

高僧像

唐

位于甘肅敦煌市莫高窟第17窟北壁壇上。

此像爲唐晚期河西僧都統洪䛒的真容塑像，着田相紋通肩袈裟，結跏趺坐，作禪定狀。

天王

唐

位于甘肅敦煌市莫高窟第18窟西壁龕内南側。

天王頭戴盔，身披甲，上有蓮花、雲氣等圖案，足下踏小鬼。

菩薩

唐

位于甘肅敦煌市莫高窟第196窟中心佛壇上北側。

菩薩游戲坐，束髻，戴項圈、臂釧，袒上身，斜披絡腋，下束裙。

佛龕塑像

唐

位于甘肅敦煌市莫高窟第91窟西壁。

此龕爲盝頂帳形方口龕，龕内塑倚坐佛、二弟子和二菩薩。

供養菩薩

唐

出于甘肅敦煌市莫高窟千相塔。

高63.7厘米。

菩薩胡跪，袒上身，身披帔帛，雙手已殘，呈捧物供養狀。

現藏敦煌研究院。

供養菩薩背面

坐佛

五代十國

位于甘肅敦煌市莫高窟第99窟。

主尊佛結跏趺坐，雙手殘。弟子阿難合十侍立。脅侍菩薩立于蓮臺上，手臂殘損。天王脚踏小鬼而立，雙臂已殘缺。

天王

五代十國

位于甘肅敦煌市莫高窟第261窟西壁壇上。

天王頭戴盔，身披甲，上繪忍冬等圖案。

菩薩

北宋

位于甘肅敦煌市莫高窟第368窟西壁。

菩薩束高髻，頸部蠶節紋，戴項圈、臂釧。

坐佛

北宋

位于甘肅敦煌市莫高窟第289窟西壁。

佛着雙領下垂式袈裟，結跏趺坐于須彌座上，左手撫膝，右手舉于胸前，手指殘缺。

天王

北宋

位于甘肅敦煌市莫高窟第55窟佛壇上北側。

天王頭戴兜鍪，兩護耳上捲，身披戰甲，穿戰靴，踏于山巒之上。

天王

北宋

位于甘肅敦煌市莫高窟第55窟佛壇上南側。

天王左臂殘缺，脚踏臺階。

迦葉

北宋
出于甘肅敦煌市莫高窟第111窟。
高69厘米。
迦葉外着袒右偏衫袈裟，雙手合十。
現藏俄羅斯艾爾米塔什博物館。

阿難

北宋
出于甘肅敦煌市莫高窟第111窟。
高90厘米。
阿難内穿交領花衣，外披袈裟，雙手籠于袖内。
現藏俄羅斯艾爾米塔什博物館。

菩薩

北宋

出于甘肅敦煌市莫高窟第111窟。

高65厘米。

菩薩梳辮，垂至肩上，袒上身，斜披絡腋，下束裙，赤足立于蓮座上。

現藏俄羅斯艾爾米塔什博物館。

菩薩背面

菩薩

西夏

位于甘肅敦煌市莫高窟第65窟。

菩薩上身斜披絡腋，下着長裙。

菩薩

西夏

位于甘肅敦煌市莫高窟第65窟。

菩薩束高髻，斜披絡腋，着長裙。

菩薩 弟子

西夏

位于甘肅敦煌市莫高窟第265窟中心柱東向龕内南側。

菩薩束髻，戴寶冠，袒上身，斜披絡腋，下束裙，赤足立于蓮座上。佛弟子外披袈裟，搭手而立。

佛龕塑像

西夏

位于甘肅敦煌市莫高窟第263窟中心柱東向面。

此龕爲盝頂帳形龕，龕内馬蹄形佛床上塑一佛二弟子四菩薩。

藻井雕飾

西夏

位于甘肅敦煌市莫高窟第234窟窟頂。

藻井中心爲一戲珠蟠龍，四周爲捲雲紋和寶珠花瓣組成的蓮花，四角各有一蟠龍，張牙舞爪。

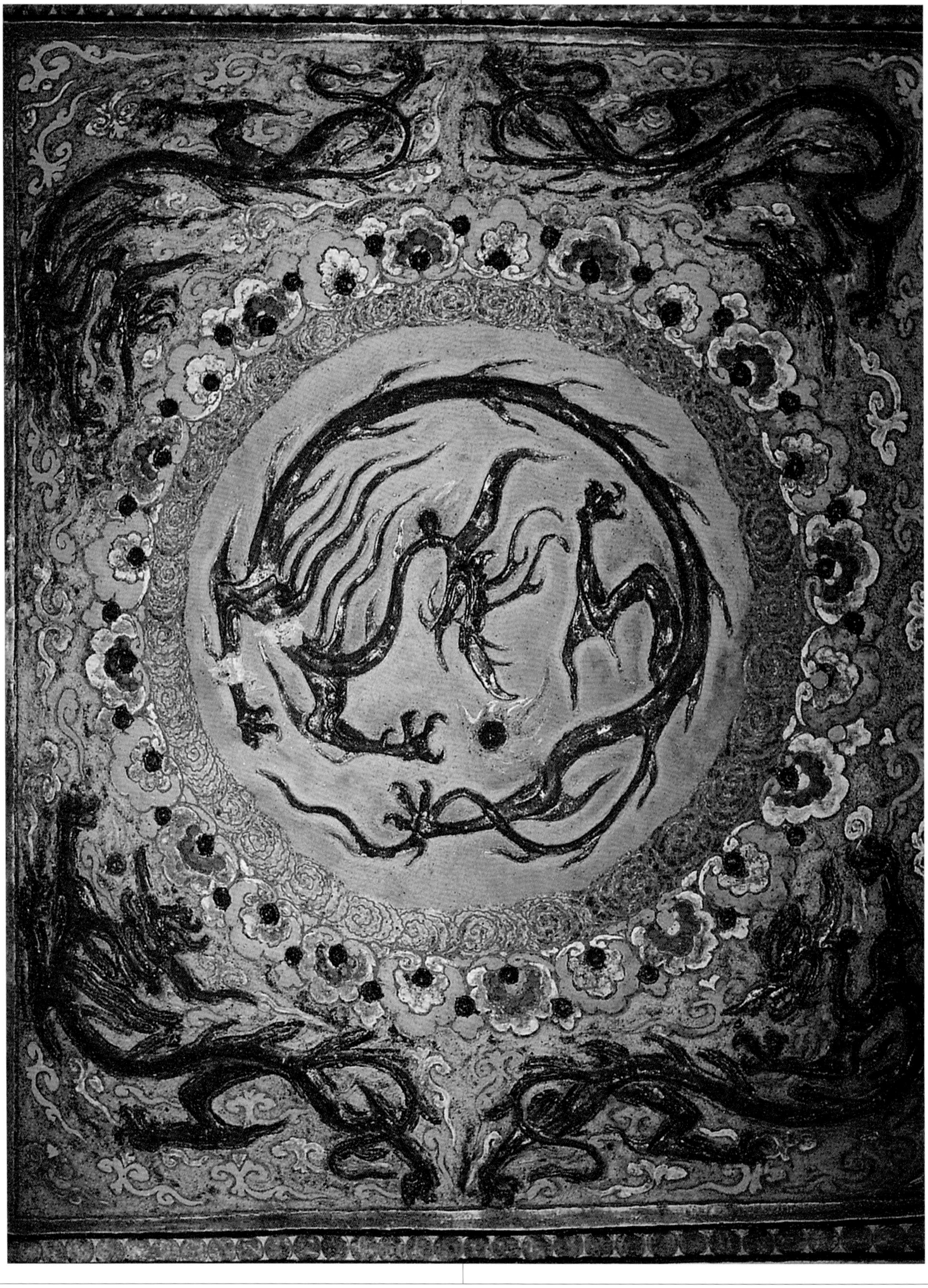

金塔寺石窟

金塔寺石窟位于甘肅肅南裕固族自治縣大都麻鄉大都麻河支流剌溝内。開鑿于北凉時期，有東、西兩窟，均爲中心柱窟。塑像多爲北凉原作，元代重修。

佛龕塑像

北魏

位于甘肅肅南裕固族自治縣金塔寺石窟東窟中心柱右壁。下層佛龕内爲坐佛，龕外立二菩薩；上層三佛龕内各塑一佛，龕外立金剛和菩薩。最上層五佛爲近代所塑。

坐佛

北魏

位于甘肅肅南裕固族自治縣金塔寺石窟東窟中心柱右壁下層。

坐佛圓形高肉髻，臉長圓，頸粗短，身軀健壯，結跏趺坐于蓮花座上。

三佛

北魏

位于甘肅肅南裕固族自治縣金塔寺石窟東窟中心柱右壁上層。

圖中間部分爲三尊坐佛像，中間一尊交脚坐，兩側二尊結跏趺坐，其中右側像爲苦修像。佛下方塑四飛天。

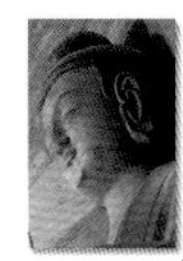

釋迦苦修像

北魏

位于甘肅肅南裕固族自治縣金塔寺石窟東窟中心柱右壁上層。坐佛高肉髻，身着圓領通肩袈裟，結跏趺坐，手作禪定印。兩側爲脅侍菩薩。

飛天

北魏

位于甘肅肅南裕固族自治縣金塔寺石窟東窟中心柱右壁上層。飛天上身袒露，下着裙，雙足裸露于外，雙臂張開。

菩薩

北魏

位于甘肅肅南裕固族自治縣金塔寺石窟東窟中心柱右壁下層。

菩薩頭束寶繒，飄帶下垂至腿部，袒上身，飾瓔珞，下着裙。

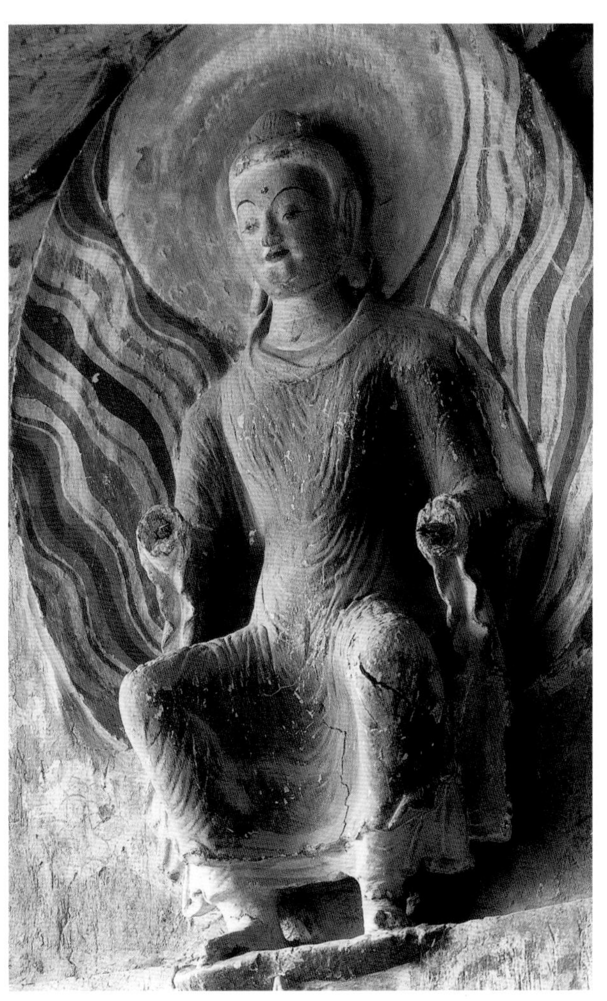

倚坐佛

北魏

位于甘肅肅南裕固族自治縣金塔寺石窟西窟中心柱左壁上層。

佛着通肩袈裟，倚坐。

菩薩

北魏

位于甘肅肅南裕固族自治縣金塔寺石窟西窟中心柱右壁下層。

菩薩頭束寶繒，袒上身，飾瓔珞，飄帶繞臂。

密迹金剛

北魏

位于甘肅肅南裕固族自治縣金塔寺石窟西窟中心柱左壁下層。

密迹金剛身着鎧甲，頭束寶繒，飄帶繞臂。

天梯山石窟

天梯山石窟位于甘肅武威市中路鄉天梯山南麓。開鑿于北凉，後經北魏、唐、西夏、元、明續建或重修。1959年因修建黄羊河水庫，大部分塑像搬至甘肅省博物館保存。

倚坐佛

唐

位于甘肅武威市天梯山石窟第13窟。

佛高2800厘米。

窟内爲石胎泥塑一佛二弟子二菩薩和二天王。佛方頤大耳，衣紋細密。

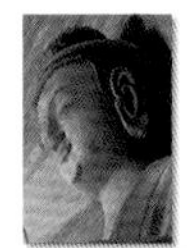

坐佛

唐

出于甘肅武威市天梯山石窟第2窟西壁。

坐佛高肉髻，波狀髮，面相豐滿，着雙領下垂式袈裟，衣紋綫居中下垂。

現藏甘肅省博物館。

菩薩

唐

出于甘肅武威市天梯山石窟第2窟。

菩薩束扇形高髻，長髮披肩，身繞帔帛，雙手合十，立于蓮座上。

現藏甘肅省博物館。

坐佛

唐

出于甘肅武威市天梯山石窟第3窟。

坐佛高肉髻，螺髮，眉間有白毫，結跏趺坐，着偏衫袒右袈裟。

現藏甘肅省博物館。

菩薩（右圖）

唐

出于甘肅武威市天梯山石窟第3窟。

菩薩束高髻，長髮披肩，身繞帔帛，扭腰側身，比例匀稱。

現藏甘肅省博物館。

炳靈寺石窟

炳靈寺石窟位于甘肅永靖縣西南小積石山。開鑿于西秦時期，北魏、北周、隋、唐、北宋、元、明歷代續有營建或重修重繪。現存窟龕二百一十六個，保存造像七百七十六身，以泥塑造像爲主，有少量石雕造像。

坐佛

西秦

位于甘肅永靖縣炳靈寺石窟第169窟南壁上部。

坐佛背光外圈飾火焰紋，高肉髻，臉繪出髫鬚，着通肩袈裟，衣紋自左肩斜下分布在胸前。具有犍陀羅造像風格。

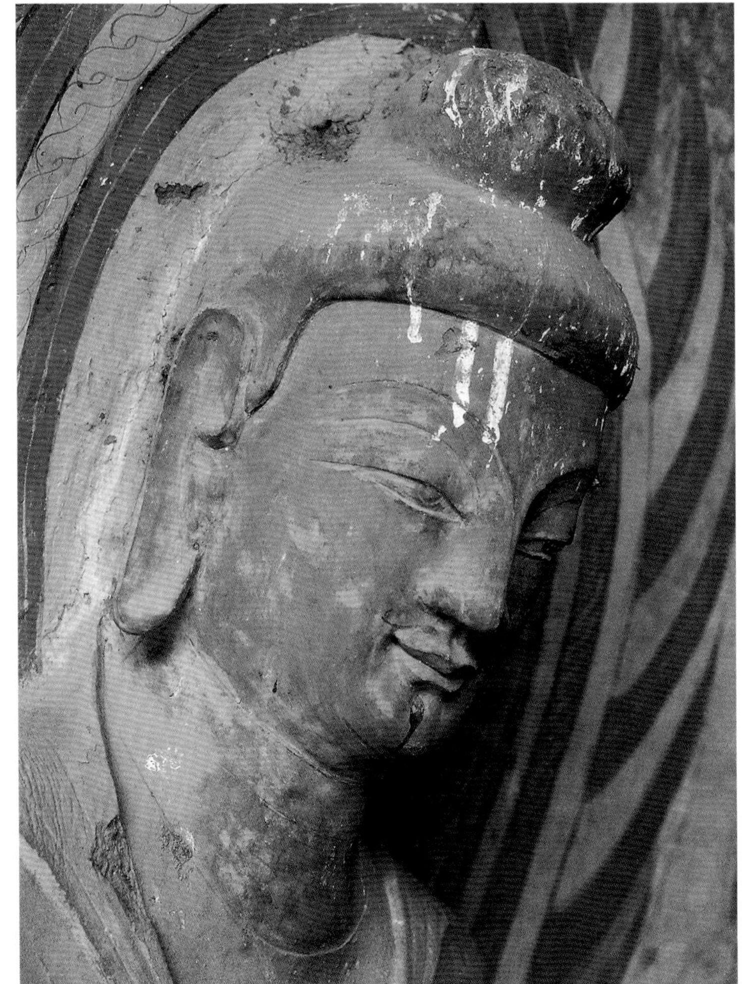

佛頭像

西秦

位于甘肅永靖縣炳靈寺石窟第169窟南壁上部。

佛作磨光高肉髻，長眼，高鼻。

坐佛

西秦

位于甘肅永靖縣炳靈寺石窟第169窟南壁。
佛結跏趺坐，手結禪定印。

佛龕群

西秦

位于甘肅永靖縣炳靈寺石窟第169窟北壁後部。

龕形多爲泥塑背屏式，造像以立佛居多，題材有一佛、二佛和三佛。

甘肃炳靈寺石窟（公元三八五年至公元一六四四年）

無量壽佛

西秦

位于甘肅永靖縣炳靈寺石窟第169窟北壁後部。

坐佛爲無量壽佛，背光處有題記。佛結跏趺坐，内着僧祇支，上有龜背紋，外披偏衫袈裟，手作禪定印。兩側脅侍菩薩爲大勢至菩薩和觀世音菩薩。坐佛左側有西秦建弘元年（公元420年）題記一方。

立佛

西秦

位于甘肅永靖縣炳靈寺石窟第169窟北壁後部。

立佛舟形火焰背光，圓形頭光，肉髻光滑，着通肩袈裟，具有貼體效果，赤足立于蓮座上。

觀世音菩薩

西秦

位于甘肅永靖縣炳靈寺石窟第169窟北壁無量壽佛龕内。

菩薩束髻，長髮披肩，戴耳璫、項圈、臂釧，斜披絡腋，身繞帔帛。

立佛

西秦

位于甘肅永靖縣炳靈寺石窟第169窟北壁後部。

圖中立佛圓形頭光外飾火焰紋，內飾聯珠、忍冬、蓮瓣等紋飾，內着僧祇支，外着袒右偏衫袈裟。

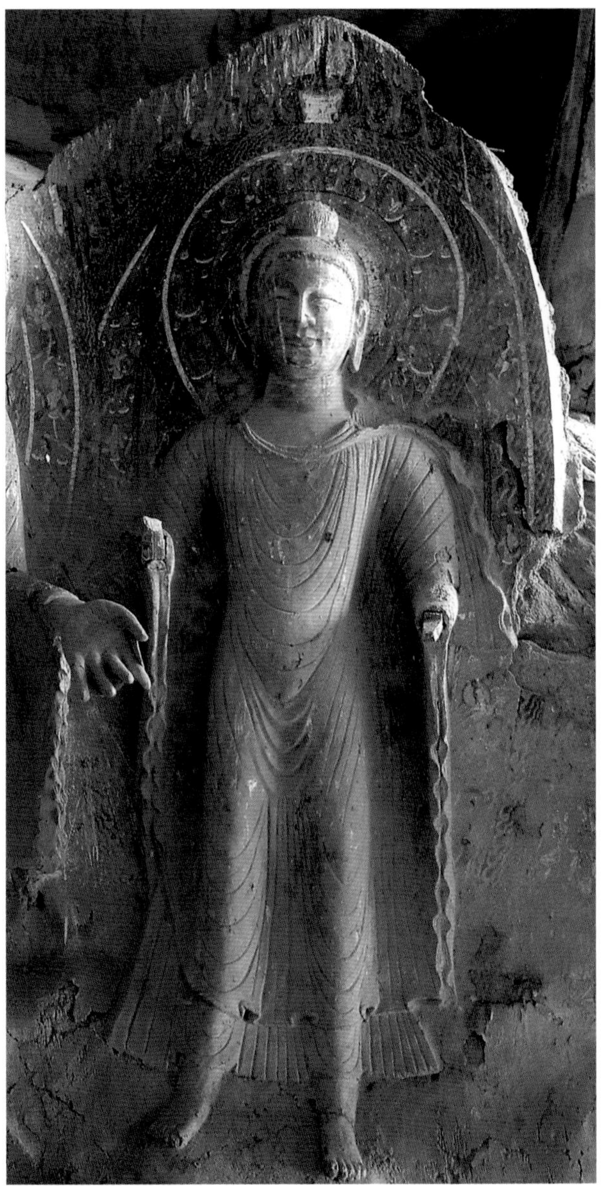

立佛

西秦

位于甘肅永靖縣炳靈寺石窟第169窟北壁後部。

圖中立佛着通肩袈裟，衣紋綫呈水波狀居中下垂，具有貼體效果。圓形頭光內繪有坐佛。此像受印度笈多時期秣菟羅風格的影響。

菩薩

西秦

位于甘肅永靖縣炳靈寺石窟第169窟西壁下部。

菩薩袒胸，着裙，于束腰座上舒右腿，上身略向左斜倚。

立佛

西秦

位于甘肅永靖縣炳靈寺石窟第169窟北壁後部。

佛鼻高眼長，着通肩袈裟。此圖爲局部。

菩薩

西秦

位于甘肅永靖縣炳靈寺石窟第169窟西壁下部。

菩薩束扇形髻，繒帶下垂，耳垂環，長髮披肩，面相豐滿，略呈笑意。此圖爲局部。

立佛

西秦

位于甘肅永靖縣炳靈寺石窟第169窟南壁。

立佛高肉髻，面相豐圓，着僧祇支，右袒袈裟，左手拈衣緣。

坐佛

西秦

位于甘肅永靖縣炳靈寺石窟第169窟南壁上部。

坐佛肉髻光滑，着通肩袈裟，衣紋綫自左肩斜向散布胸前，手作禪定印。

坐佛

西秦

位于甘肅永靖縣炳靈寺石窟第169窟南壁下部。

坐佛背光外圈飾聯珠紋，高肉髻，着通肩袈裟，結跏趺坐，手作禪定印。

苦修像

西秦

位于甘肅永靖縣炳靈寺石窟第169窟南壁下部。

坐佛高肉髻，袒上身，繞帔帛，下束裙，手作禪定印，身軀呈瘦骨嶙峋狀，表現釋迦苦修。

三佛（上圖）

西秦–北魏

位于甘肅永靖縣炳靈寺石窟第169窟北壁前部。

方形龕內塑三坐佛，均作禪定印，結跏趺坐。

坐佛

西秦–北魏

位于甘肅永靖縣炳靈寺石窟第169窟北壁前部。

坐佛高肉髻，着通肩袈裟，無衣紋，圓形頭光外圈繪有禪定佛。其右側爲脅侍菩薩，袒上身，繞帔帛，挂瓔珞，左手持拂塵；左側爲天王，身着戰甲，束髮，右手執金剛杵。

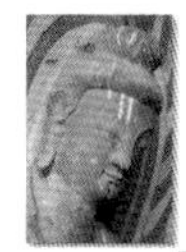

坐佛

北魏

位于甘肅永靖縣炳靈寺石窟第172窟北壁上部。

坐佛高肉髻，着通肩袈裟，手作禪定印，面相略呈方圓。此圖爲局部。

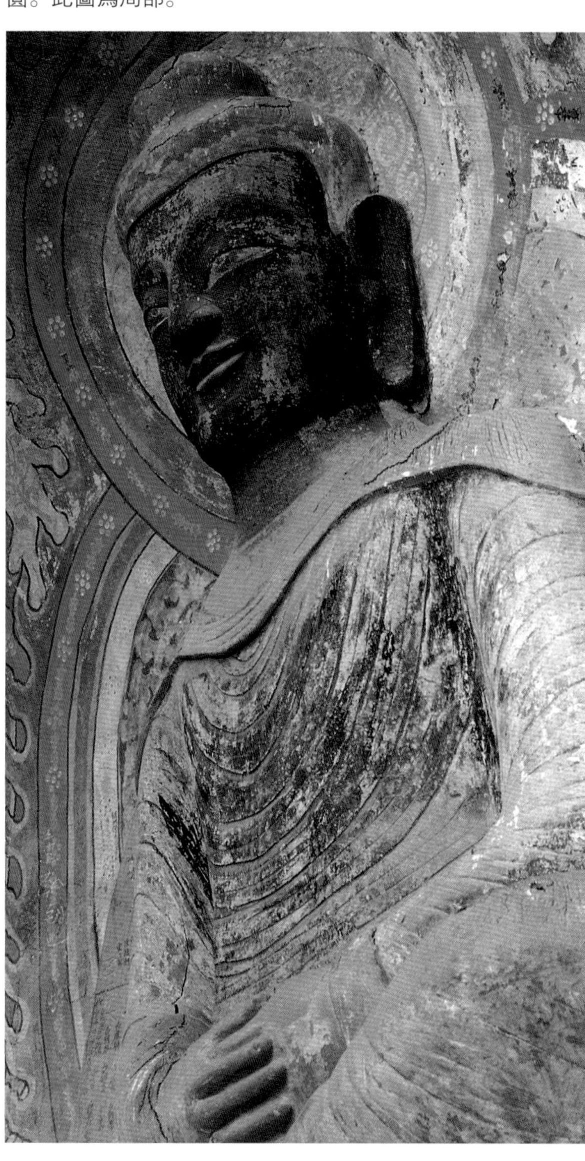

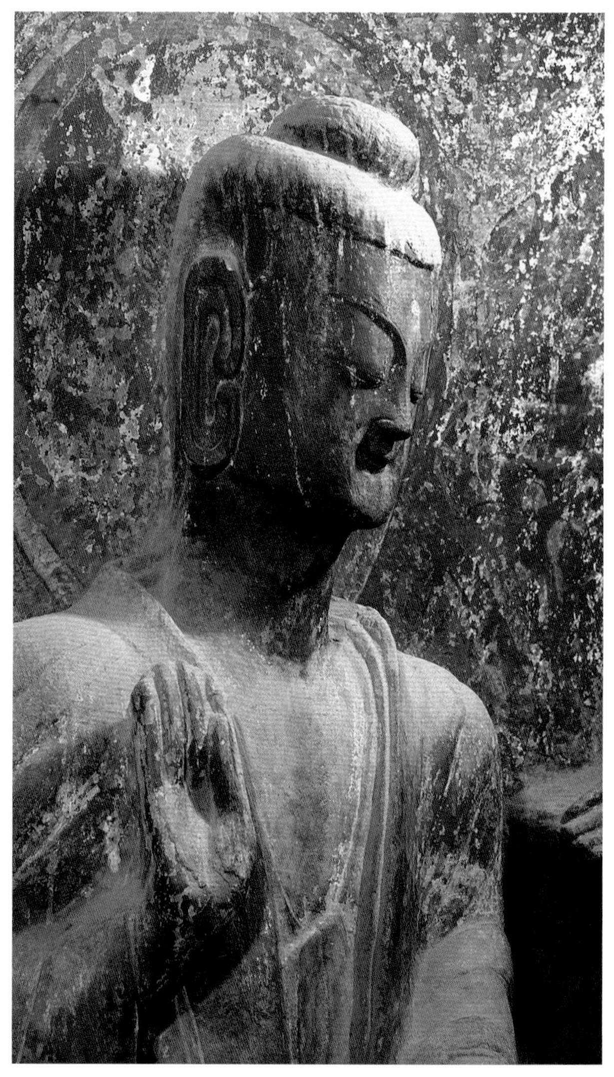

坐佛

北魏

位于甘肅永靖縣炳靈寺石窟第126窟西壁。

坐佛高肉髻，内着僧祇支，外披雙領下垂式袈裟，右手作施無畏印。此圖爲局部。

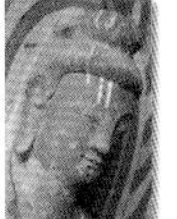

菩薩

北魏

位于甘肅永靖縣炳靈寺石窟第126窟南壁。

菩薩頭戴蓮花冠，肩繞披巾交于腹前，右手執一蓮蕾，左手提一物，臉作微笑狀。

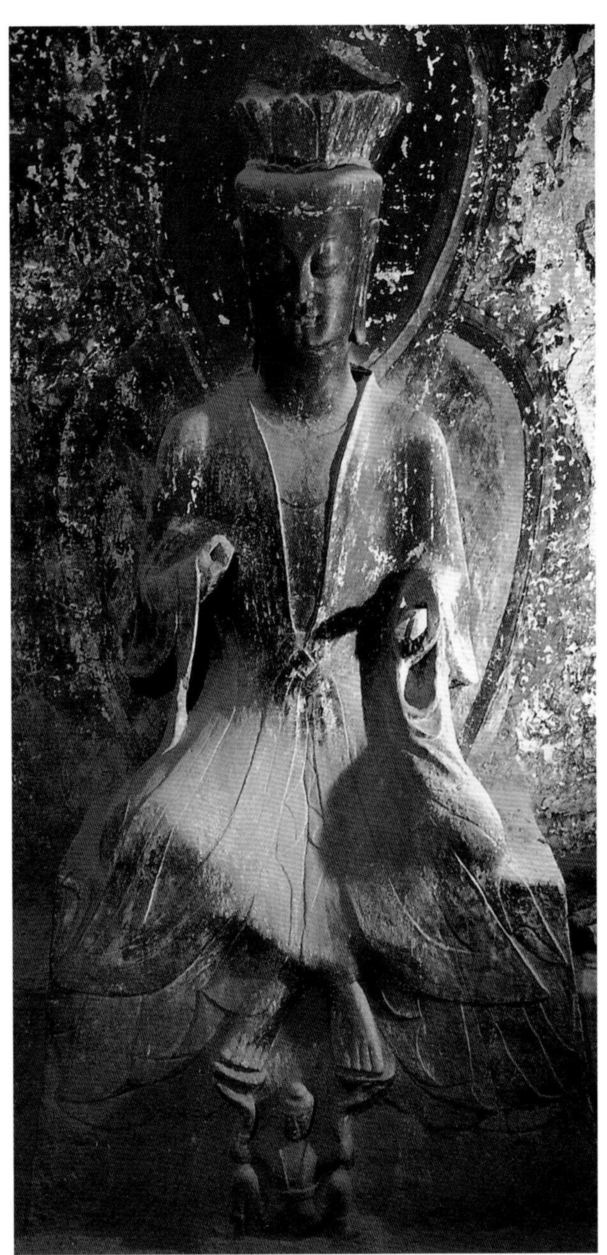

交脚菩薩

北魏

位于甘肅永靖縣炳靈寺石窟第132窟北壁。

菩薩頭戴蓮花寶冠，頸戴項圈，帔帛繞肩交于腹前環形飾上，衣裙下擺垂覆座上，交脚坐，下有一力士承托雙足。

二佛并坐

北魏

位于甘肅永靖縣炳靈寺石窟第132窟西壁。

二佛爲釋迦和多寶佛，均肉髻光滑，披雙領下垂式袈裟，下衣擺垂覆座上，結跏趺坐，作説法狀。兩側爲脅侍菩薩。

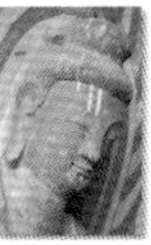

坐佛

北魏

位于甘肅永靖縣炳靈寺石窟第132窟南壁。

佛高肉髻，身披雙領下垂式袈裟，右領襟敷搭左臂，衣裙下擺垂覆座上。兩側爲脅侍菩薩，頭戴冠，身繞帔帛。

菩薩

北魏

位于甘肅永靖縣炳靈寺石窟第2龕。

菩薩頭束髻，帔帛繞肩交于腹前，下束裙，右手執一蓮蕾。

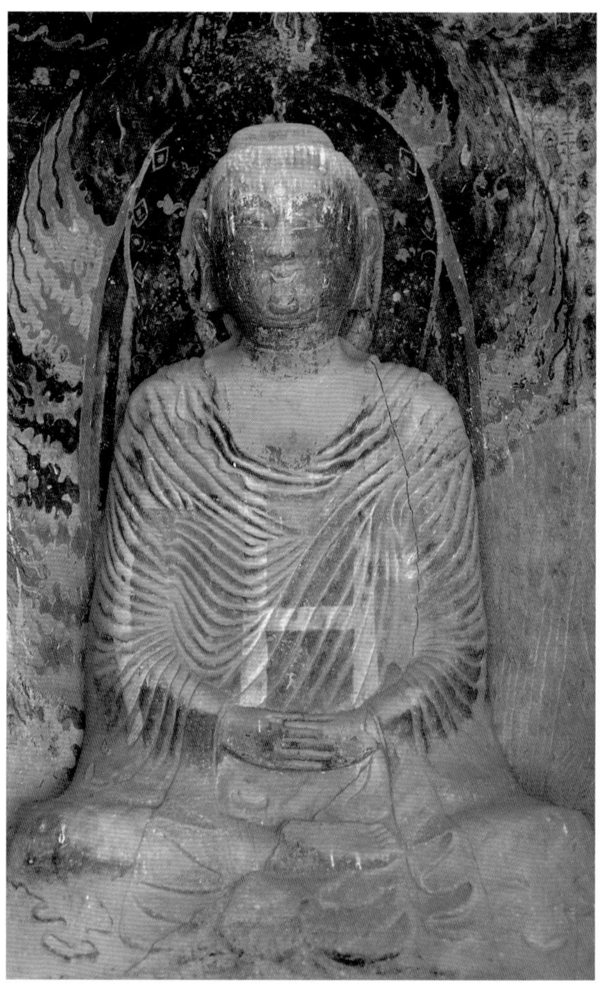

坐佛

北周

位于甘肅永靖縣炳靈寺石窟第6窟西壁。

佛肉髻低平，額上有白毫，着通肩袈裟，衣褶密集呈波狀，結跏趺坐，手作禪定印。

五佛（上圖）

北周

位于甘肅永靖縣炳靈寺石窟第172窟北壁下部。

立佛肉髻低平，面相豐圓，内着僧祇支，外披袈裟，赤足而立，右手提衣褶。

坐佛

北周

位于甘肅永靖縣炳靈寺石窟第172窟西壁佛帳内。

佛結跏趺坐，兩側塑二弟子。

坐佛（上圖）

北周

位于甘肅永靖縣炳靈寺石窟第172窟西壁佛帳内南壁。

佛肉髻低平，着通肩袈裟，衣紋綫呈水波狀居中下垂。左側脅侍菩薩肩上有餅形飾，袒上身，繞帔帛；右側爲立佛，着袈裟，手作禪定印。

坐佛

唐

位于甘肅永靖縣炳靈寺石窟第23龕。

佛高髻，頸刻三道紋，内着僧祇支，外披雙領下垂式袈裟，下衣擺垂覆座上。兩側爲二弟子和二菩薩。

菩薩

唐

位于甘肅永靖縣炳靈寺石窟第21龕。

菩薩頭戴冠，長髮披肩，袒上身，戴項圈，繞帔帛，右手執一長莖蓮花，左手提净瓶。

菩薩 天王

唐

位于甘肅永靖縣炳靈寺石窟第28龕。

左側菩薩袒上身，下束裙，身繞帔帛，左手提净瓶，赤足而立。右側天王身着戰甲，右手持劍，足下踏二地鬼。

菩薩（上圖）

唐

位于甘肅永靖縣炳靈寺石窟第30龕。

龕内塑菩薩三尊，中間一身爲立像，足踏圓形臺座；左右兩身菩薩均半跏趺坐于方臺上。

五尊像

唐

位于甘肅永靖縣炳靈寺石窟第31龕。

立佛高肉髻，外披袈裟，右手托鉢，左手作與願印。兩側爲二弟子和二菩薩，赤足而立。

倚坐佛

唐

位于甘肅永靖縣炳靈寺石窟第34龕。

佛赤足倚坐，肉髻高大平滑，頸刻三道蠶節紋，内着僧祇支，外披袈裟。兩側脅侍菩薩束高髻，袒上身，戴項圈，手提净瓶或執蓮蕾、拂塵。

菩薩

唐

位于甘肅永靖縣炳靈寺石窟第41龕。

菩薩束高髻，袒上身，戴項圈、臂釧，下束裙，右手執一長莖蓮花，半跏坐于須彌座上。

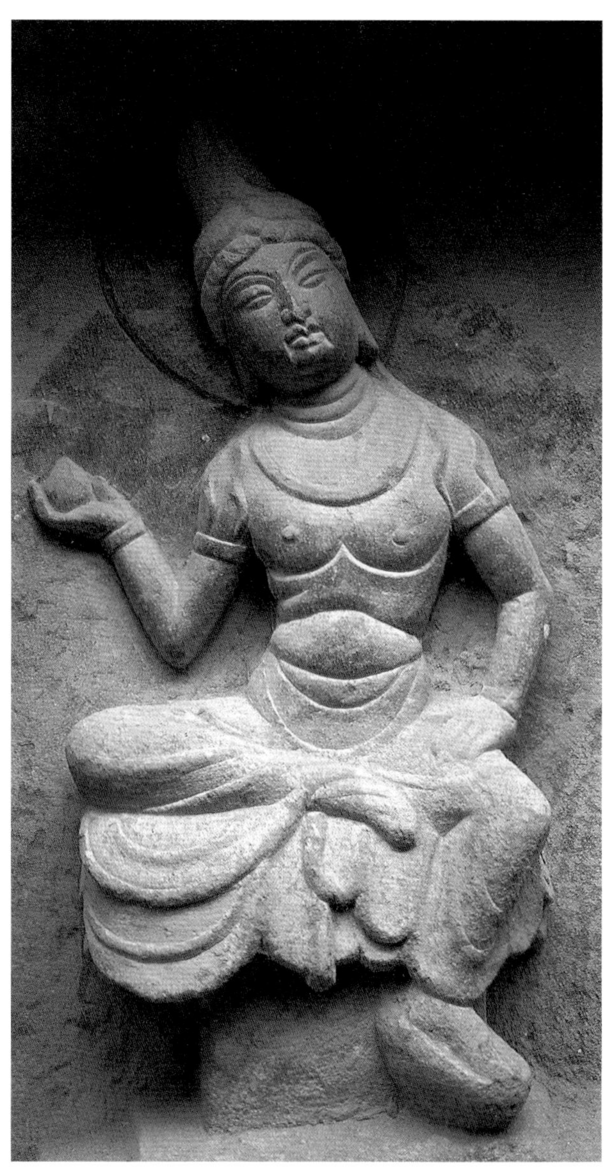

菩薩

唐

位于甘肅永靖縣炳靈寺石窟第45龕。

菩薩頭束髻，頸刻三道蠶節紋，長髮披肩，袒上身，下束裙，半跏坐，右手持一蓮蕾。

坐佛

唐

位于甘肅永靖縣炳靈寺石窟第54龕。

佛結跏趺坐于須彌座上，内着僧祇支，外披袈裟，高肉髻，額上有白毫，頸刻三道紋。兩側爲脅侍菩薩，手執長莖蓮花。

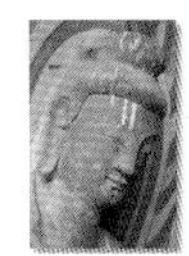

立佛

唐

位于甘肅永靖縣炳靈寺石窟第64龕。

立佛高肉髻，袒右，圓形頭光和身光。兩側爲二菩薩和二天王，二天王足下踏地鬼。

石塔

唐

位于甘肅永靖縣炳靈寺石窟第3窟。

塔身中空，正面闢一門，前方臺階，塔頂爲盝形廡頂式，塔檐下爲椽子和斗栱，塔刹位置爲須彌座和山花蕉葉，中有覆鉢。

菩薩

唐

位于甘肅永靖縣炳靈寺石窟第3窟南壁龕内西壁。

菩薩束髻，戴項圈、臂釧，袒上身，下束裙，手執蓮蕾，赤足立于蓮座上。

倚坐佛

唐

位于甘肅永靖縣炳靈寺石窟第3窟南壁龕内南壁。

佛倚坐，赤雙足踏于蓮臺上，高肉髻，額上有白毫，頸刻蠶節紋，内着僧衹支，外披袈裟，右手托鉢置于腹前。

菩薩

唐

位于甘肅永靖縣炳靈寺石窟第3窟南壁龕内東壁。

菩薩束高髻，頸刻蠶節紋，袒上身，繞帔帛，戴項圈、臂釧，左手托鉢置于腹前。

倚坐佛

唐

位于甘肅永靖縣炳靈寺石窟第4窟西壁。

佛赤足倚坐，圓形頭光，肉髻高大光滑，額上有白毫，頸刻三道紋，内着僧祇支，外披袈裟，左手托鉢。

迦葉

唐

位于甘肅永靖縣炳靈寺石窟第4窟西壁南側。

迦葉赤足而立，袖手。

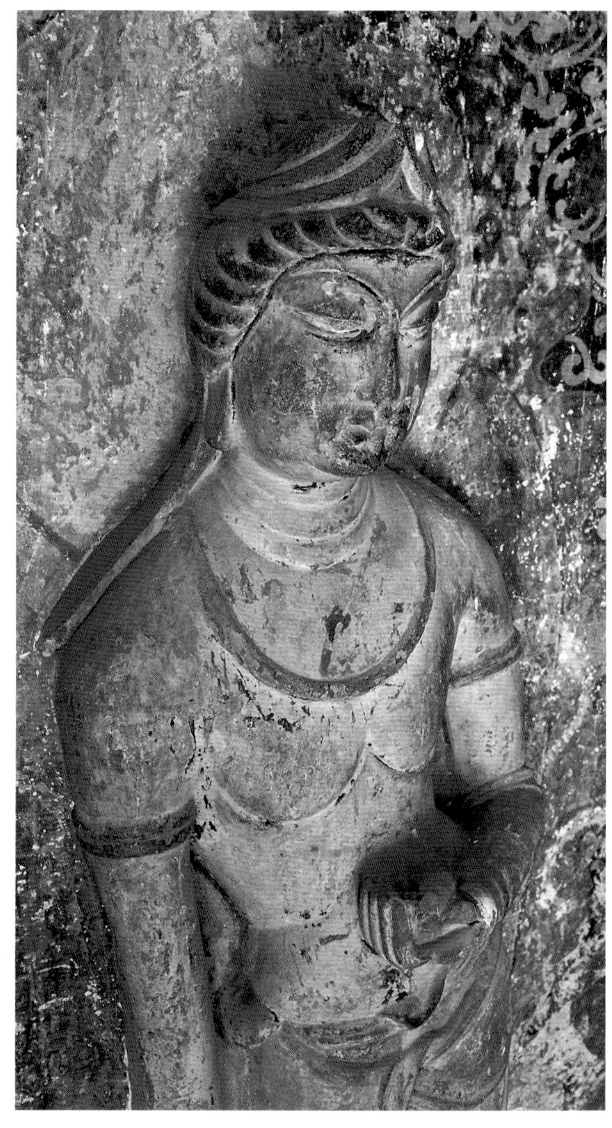

菩薩

唐

位于甘肅永靖縣炳靈寺石窟第4窟南壁。

菩薩立于覆蓮圓臺上，左手托珠。

倚坐佛

唐

位于甘肅永靖縣炳靈寺石窟第168窟西壁。

佛赤足倚坐，肉髻高大，内着僧祇支，外披雙領下垂式袈裟，右領襟敷搭左臂，右手作施無畏印。

天王

唐

位于甘肅永靖縣炳靈寺石窟第92窟南壁。

天王束髻，頭戴盔，身披甲，左手持劍。

迦葉 菩薩

唐

位于甘肅永靖縣炳靈寺石窟第168窟西壁和北壁。

迦葉身着袈裟，雙手合十，赤足而立。菩薩半跏坐，束高髻，戴項圈、臂釧，斜披絡腋，下束裙。

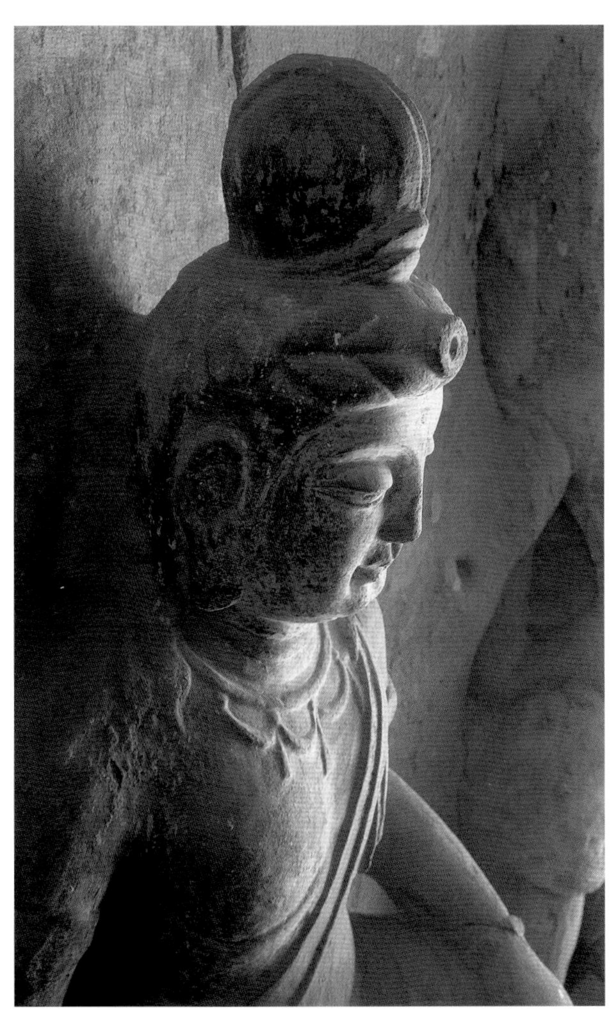

菩薩

唐

位于甘肅永靖縣炳靈寺石窟第168窟北壁。

菩薩高髮髻，戴項飾。

天王

唐

位于甘肅永靖縣炳靈寺石窟第168窟南壁。

天王束高髻，身着甲，有護胸和護肩，雙足踏于山巒之上。

倚坐佛

唐

位于甘肅永靖縣炳靈寺石窟第171龕。

像高2700厘米。

佛倚坐，高肉髻，螺髮，頸上刻紋，内着僧祇支，外披袒右偏衫袈裟，衣衫輕薄。

阿難

唐

位于甘肅永靖縣炳靈寺石窟第10窟正壁。

阿難右手撫左肘，立于圓臺之上。

天王

唐

位于甘肅永靖縣炳靈寺石窟第147窟。

現僅殘存頭部。臉上肌肉隆起，眉頭糾結，雙目圓睁，張口怒吼。

拄劍天王

唐

位于甘肅永靖縣炳靈寺石窟第10窟南壁。
天王雙手相疊，拄劍而立。

拄劍天王局部

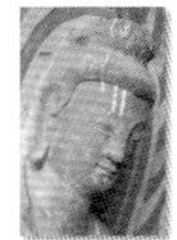

立佛

唐

位于甘肅永靖縣炳靈寺石窟第48龕。

佛高肉髻，頸刻蠶節紋，着袒右偏衫，右手提衣帶，赤足立于蓮座上。

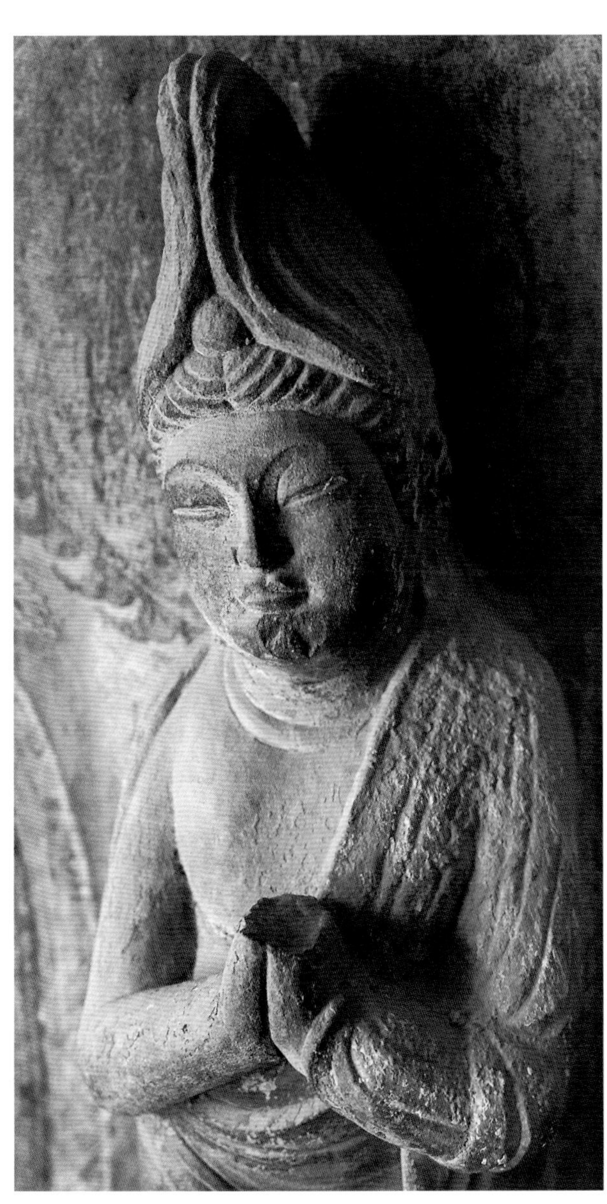

菩薩

唐

位于甘肅永靖縣炳靈寺石窟第10窟南壁。

菩薩雙手合十而立。

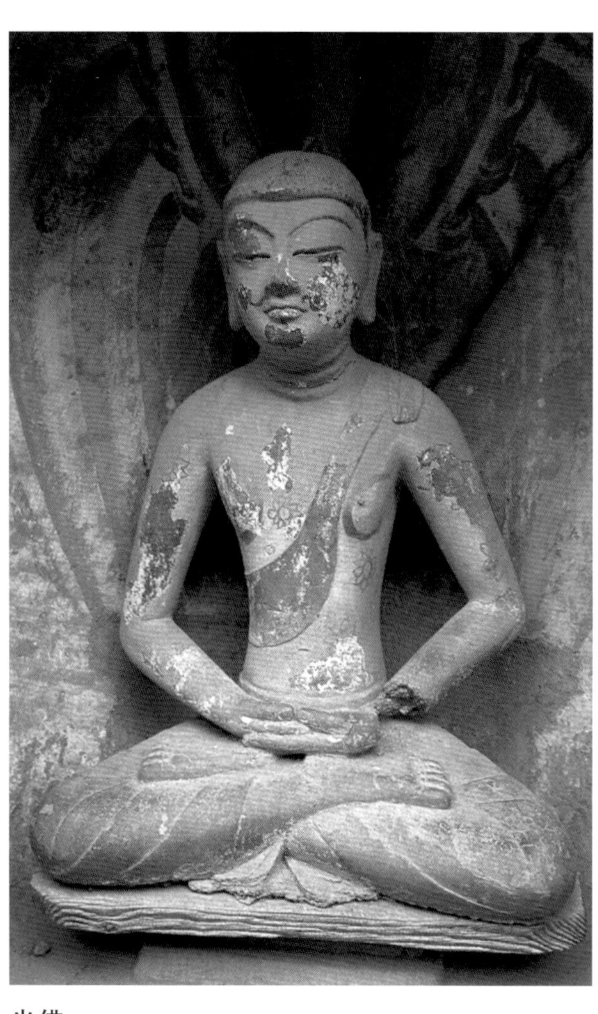

坐佛

西夏

位于甘肅永靖縣炳靈寺石窟第46龕。

佛肉髻低平，袒上身，斜披絡腋，結跏趺坐，雙手作禪定印，寬肩細腰，具密宗造像特徵。

十一面觀音

明

位于甘肅永靖縣炳靈寺石窟第70窟。

菩薩十一面層層相叠，高聳如塔狀，八臂，袒上身，披巾，下着裙，衣飾華麗。

麥積山石窟

麥積山石窟位于甘肅天水市東南秦嶺山脉西段北麓。始鑿于後秦姚興時期（公元394-415年），興于北魏，西魏、北周、隋、唐、北宋歷代續建或重修。現存窟龕一百九十四個，造像七千八百餘身，其中以木胎泥塑爲主，另有少量石胎泥塑和石雕。

坐佛

北魏

位于甘肅天水市麥積山石窟第78龕正壁。

佛内着僧祇支，外披偏衫袈裟，衣紋綫密集，爲雙綫陰刻，右手作施無畏印。

坐佛局部

坐佛

北魏

位于甘肅天水市麥積山石窟第78龕右壁。

佛高肉髻，内着僧祇支，外披偏衫袈裟，手作禪定印。

菩薩

北魏

位于甘肅天水市麥積山石窟第74窟正壁左側。

菩薩戴高花冠，臉寬鼻闊，口角含笑意，左手于胸前捻花，右手下垂，赤足立于半圓形臺座上。此圖爲局部。

菩薩

北魏

位于甘肅天水市麥積山石窟第80窟左壁。

菩薩戴化佛寶冠，繒帶下垂，斜披絡腋，身繞帔帛，下束裙，衣紋綫貼體，戴項圈、臂釧，左手提净瓶，右手執蓮葉忍冬于胸前，臉作微笑狀。

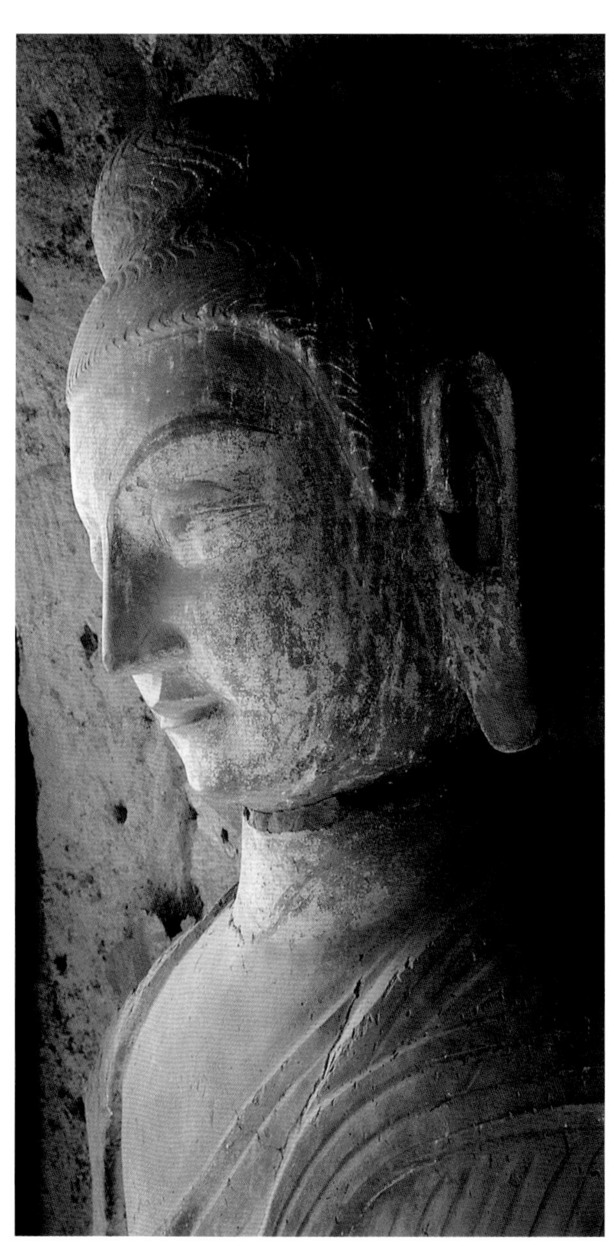

坐佛

北魏

位于甘肅天水市麥積山石窟第74龕右壁。

坐佛波紋高肉髻，面形方圓，着右袒袈裟。此圖爲局部。

菩薩

北魏

位于甘肅天水市麥積山石窟第69龕右壁。

菩薩圓形頭光，高髻，戴寶冠，寶繒下垂，身繞帔帛。

彌勒菩薩

北魏

位于甘肅天水市麥積山石窟第169龕正壁。

彌勒菩薩頭戴三珠冠，垂髮披肩，頸飾瓔珞，袒上身，下穿貼體薄裙，交脚坐于蓮座上。

坐佛 菩薩

北魏

位于甘肅天水市麥積山石窟第23窟正壁和右壁。

佛結跏趺坐，内着僧祇支，外披雙領下垂式袈裟。其右側脅侍菩薩戴寶冠、項圈，身繞帔帛，左手提一桃形物。

菩薩

北魏

位于甘肅天水市麥積山石窟第76窟左壁。

菩薩圓形頭光，舟形火焰背光，頭戴寶冠，頸戴項圈，斜披絡腋，身繞帔帛，下束裙。

坐佛

北魏

位于甘肅天水市麥積山石窟第114窟正壁。

佛肉髻光滑，着雙領下垂式袈裟，衣紋綫細密，呈水波狀，結跏趺坐，右手作施無畏印。

力士

北魏

位于甘肅天水市麥積山石窟第154窟正壁。

力士光頭，瞪目蹙眉，帔帛繞肩垂于腹前。

迦葉

北魏

位于甘肅天水市麥積山石窟第85窟右壁後部。

迦葉眉棱突出，内着僧祇支，外披雙領下垂袈裟。

菩薩

北魏

位于甘肅天水市麥積山石窟第139窟左壁。

菩薩頭束髻，胸挂瓔珞，身着天衣，左手曲肘舉于胸前，右手持瓔珞，下束長裙。

菩薩

北魏

位于甘肅天水市麥積山石窟第85窟正壁左側。

菩薩頭戴小冠，頸飾項圈，胸挂瓔珞，身着天衣，下束貼體長裙。

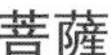

菩薩

北魏

位于甘肅天水市麥積山石窟第122窟正壁左側。

菩薩束錐狀高髻，内着僧祇支，外披雙領下垂袈裟，雙手合于胸前作聽法狀。

力士

北魏

位于甘肅天水市麥積山石窟第83窟前壁左側。

力士束髻，袒上身，繞帔帛，下束裙。

菩薩 弟子

北魏

位于甘肅天水市麥積山石窟第121窟右壁、正壁。菩薩束髻，身穿交領襦衫，身繞帔帛交于腹前；弟子着袈裟，雙手合十。二人作交談狀。

二菩薩

北魏

位于甘肅天水市麥積山石窟第121窟正壁、左壁。

一菩薩束髻，身繞帔帛，束長裙；另一束錐狀髻，身披袈裟，雙手合十。

彌勒菩薩

北魏

位于甘肅天水市麥積山石窟第133窟左内室左壁。彌勒着菩薩裝，束髮戴冠，交脚而坐。臉上呈笑意。

菩薩

北魏

位于甘肅天水市麥積山石窟第133窟第1號龕内右壁。圖中菩薩束髻，肩上有餅形飾，身繞帔帛交于腹前，下束裙，赤足而立。

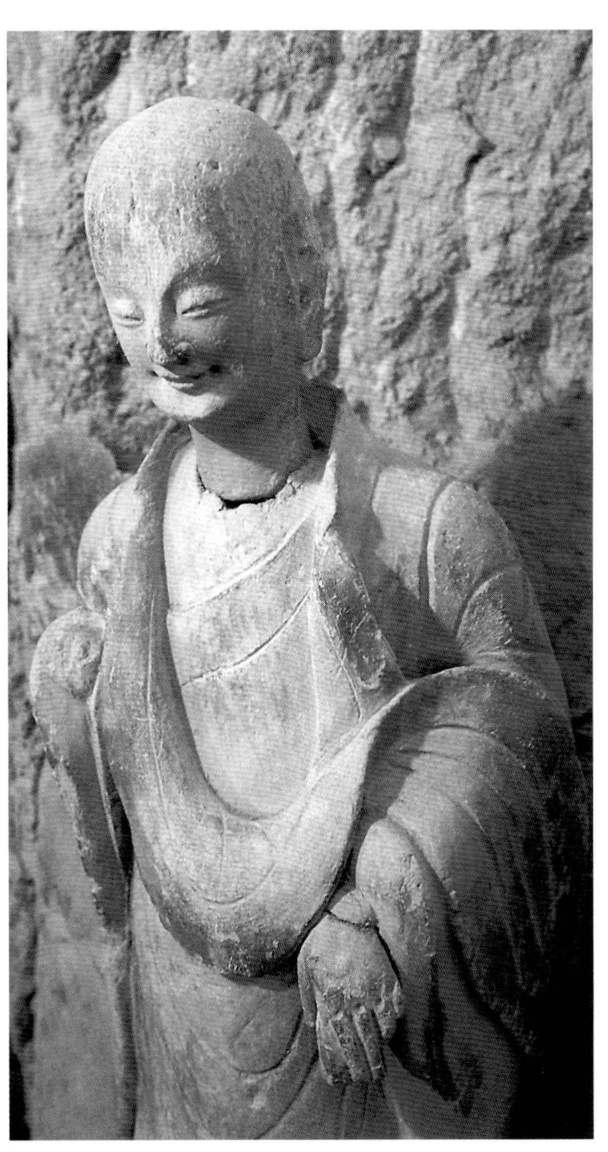

阿難

北魏

位于甘肅天水市麥積山石窟第133窟第9號龕内右壁。阿難低頭微笑，内着僧祇支，外披袈裟。

菩薩

北魏

位于甘肅天水市麥積山石窟第142窟右壁。

菩薩交脚而坐，束髻，内着僧祇支，身繞帔帛，挂長瓔珞，下束裙，裙角呈鋸齒狀。

菩薩

北魏

位于甘肅天水市麥積山石窟第142窟右壁左側。

菩薩有圓形頭光，神色虔誠，雙手捧鉢于胸前，身着袈裟，足穿短靴。

阿難

北魏

位于甘肅天水市麥積山石窟第142窟左壁右側。

阿難有桃形頭光，面露微笑，内着僧祇支，外披通肩袈裟，左手舉于胸前，赤足而立。

坐佛

北魏

位于甘肅天水市麥積山石窟第140窟正壁。

佛高肉髻，臉方鼻直，着雙領下垂袈裟，内穿僧祇支，結跏趺坐于須彌座。此圖爲局部。

菩薩

北魏

位于甘肅天水市麥積山石窟第163窟左壁。

菩薩結高髮髻，戴束髮冠，髮垂至肩部。此圖爲局部。

坐佛

北魏

位于甘肅天水市麥積山石窟第16窟正壁。

佛高肉髻，内着僧祇支，外披雙領下垂式袈裟，右領襟敷搭左臂，結跏趺坐。

石雕造像碑

北魏

位于甘肅天水市麥積山石窟第133窟。高156、寬76、厚9厘米。

上層龕内爲釋迦、多寶二佛并坐；左側上方爲阿育王施土，下方爲釋迦涅槃像；右側爲佛爲憍陳如等五人説法。中層盝形龕内爲交脚菩薩；左側上方爲乘象入胎，下方爲降伏諸魔；右側上方爲樹下誕生和七步生蓮，下方爲布髮泥地、燃燈佛授記。下層龕内爲一佛二菩薩；左側上方爲文殊與維摩詰；右側上方爲鹿野苑初轉法輪。兩側下方屋形龕下爲二天王和蹲獅。

石雕造像碑

北魏

位于甘肅天水市麥積山石窟第133窟。

高188、寬90、厚14厘米。

中層圓拱尖形龕龕楣内雕蓮花寶珠；龕内坐佛着雙領下垂式袈裟，下擺垂覆于須彌座上；座兩側有二獅子；坐佛兩側爲脅侍菩薩。龕上方和下方皆爲禪定諸佛，上方坐佛皆着雙領下垂式袈裟，下方坐佛皆着通肩袈裟。

石雕造像碑局部之一

石雕造像碑局部之二

石雕造像碑

北魏

位于甘肅天水市麥積山石窟第133窟。

高192、寬89、厚13厘米。

碑上方中欄爲三坐佛和五坐佛，右側爲二佛并坐和立佛、弟子，左側爲文殊、維摩詰和一佛二菩薩。下層帷帳龕内爲三坐佛，兩側爲天王和蹲獅，其上方和下方皆爲禪定坐佛。

弟子

西魏

位于甘肅天水市麥積山石窟第102窟正壁。

弟子豐滿圓潤，袈裟滑落右肩，左手持餅狀物。此圖爲局部。

坐佛

西魏

位于甘肅天水市麥積山石窟第102窟正壁。

坐佛渦紋高肉髻，着雙領下垂袈裟。此圖爲局部。

維摩詰

西魏

位于甘肅天水市麥積山石窟第102窟左壁。

維摩詰居士頭戴冠，着褒衣博帶服裝，衣裙下擺垂覆臺座上。

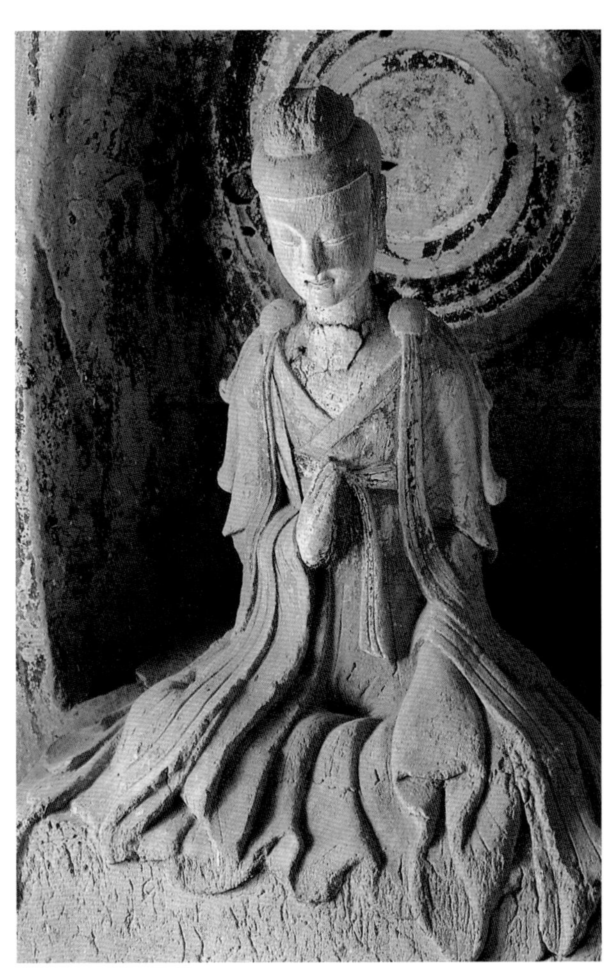

文殊菩薩

西魏

位于甘肅天水市麥積山石窟第123窟右壁。

高120厘米。

文殊菩薩頭束髻，有圓形頭光，結跏趺坐，服飾華麗。

菩薩 迦葉

西魏

位于甘肅天水市麥積山石窟第123窟正壁。

菩薩頭戴花鬘冠，肩頭飾寶鏡。迦葉爲老者形象，身體前傾。

侍者（左圖）

西魏

位于甘肅天水市麥積山石窟第123窟右壁前部。

侍者爲少女形象，束雙髻，戴項圈，穿寬袖裙襦。

侍者局部

侍者（左圖）

西魏

位于甘肅天水市麥積山石窟第123窟左壁前部。

侍者爲少男形象，戴圓帽，穿對襟長袍，雙手籠于袖內，足穿氈鞋。

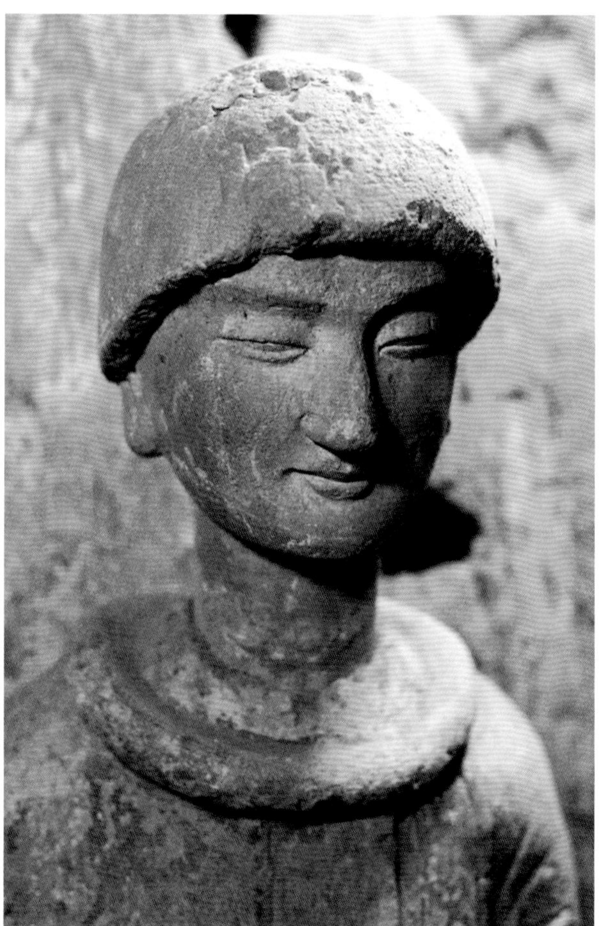

侍者局部

坐佛

西魏

位于甘肅天水市麥積山石窟第127窟正壁。

坐佛内着僧祇支，外披雙領下垂式袈裟。圓形頭光内圈爲蓮瓣和忍冬，外圈爲飛天和坐佛；肉髻髮式爲波狀。兩側爲脅侍菩薩。

頭光雕飾

西魏

位于甘肅天水市麥積山石窟第127窟正壁龕内坐佛頭光。頭光正中爲坐佛，兩側爲飛天。飛天束髻，帔帛、長裙隨風起舞，或彈箜篌，或彈箏，或作散花狀；旁邊飾蓮花。

菩薩

西魏

位于甘肅天水市麥積山石窟第127窟正壁龕内右側。

菩薩桃形頭光，内飾蓮瓣，頭束髻，内着僧衹支，身繞帔帛，挂瓔珞交于腹前環形飾上，下束裙，赤足立于蓮花座上。

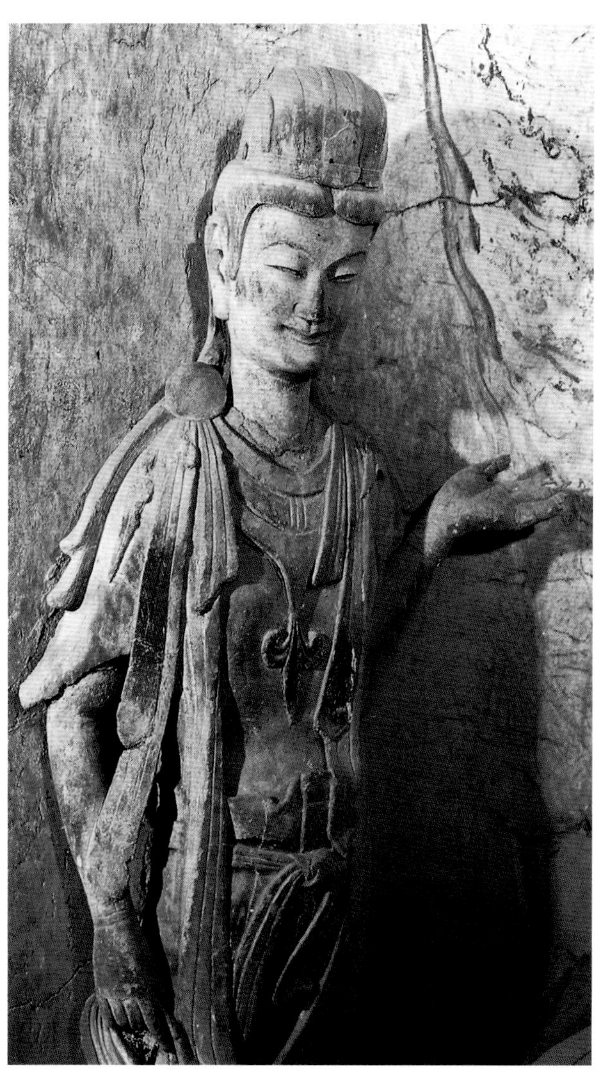

菩薩

西魏

位于甘肅天水市麥積山石窟第127窟左壁龕内右側。

菩薩束髻，長髮披肩，肩上有餅形飾，戴項圈，身繞帔帛，下束裙。

菩薩

西魏

位于甘肅天水市麥積山石窟第127窟左壁龕内左側。

菩薩束高髻，戴項圈，帔帛纏繞，身體右傾，右手托一盤，上有供養品。

菩薩

立佛

西魏

位于甘肅天水市麥積山石窟第135窟中央。

立佛面相方圓，穿褒衣博帶式袈裟，脚下踏蓮臺。二菩薩頭經宋代補塑。

坐佛

西魏

位于甘肅天水市麥積山石窟第135窟左壁。

坐佛身軀瘦削，内着僧祇支，外披雙領下垂式袈裟，右領襟敷搭左臂，衣裙下擺垂覆座上，其褶皺重叠如羊腸。兩側爲二脅侍菩薩。

坐佛

西魏

位于甘肅天水市麥積山石窟第44窟正壁。

坐佛高肉髻，髮式爲波狀，内着僧祇支，外披雙領下垂式袈裟，衣裙下擺垂覆座上，結跏趺坐。

坐佛局部

阿難

西魏

位于甘肅天水市麥積山石窟第44窟左壁。

阿難身披袈裟，雙手合十，神情虔誠。

菩薩

西魏

位于甘肅天水市麥積山石窟第44窟正壁右側。

菩薩戴冠，袒上身，長髮披肩，繞帔帛。

菩薩

西魏

位于甘肅天水市麥積山石窟第87窟正壁。

二菩薩均結高髮髻，手持法器，一菩薩身披瓔珞。

坐佛

西魏

位于甘肅天水市麥積山石窟第146龕正壁龕内。

坐佛高肉髻，光滑；内着僧祇支，外披雙領下垂式袈裟，左手作與願印，右手作施無畏印，結跏趺坐。

迦葉

西魏

位于甘肅天水市麥積山石窟第87窟右壁前部。

迦葉深目高鼻，身披袈裟，雙手合十作禮拜狀。

比丘

西魏

位于甘肅天水市麥積山石窟第92窟右壁。

比丘内着僧衹支，外披雙領下垂式袈裟，右領襟敷搭左臂，左手托供養物。

坐佛

西魏

位于甘肅天水市麥積山石窟第147龕正壁佛龕。

佛高肉髻，螺髮，内着僧衹支，外披雙領下垂式袈裟，衣裙下擺如羊腸，垂覆于臺座上，結跏趺坐。左手作與願印，右手作施無畏印。

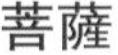

菩薩

西魏

位于甘肅天水市麥積山石窟第60龕。

菩薩寬袍大袖，雙手籠于袖内。

坐佛

西魏

位于甘肅天水市麥積山石窟第60龕。

坐佛肉髻光滑低平，内着僧祇支，外披袈裟，右手作施無畏印。頭部爲北周補塑。

坐佛

北周

位于甘肅天水市麥積山石窟第141窟左壁後部。

坐佛圓形頭光，外圈飾忍冬紋，舟形火焰背光，着通肩袈裟，衣紋綫凸起，居中下垂。龕柱柱頭爲束帛，上爲火焰寶珠。

坐佛

北周

位于甘肅天水市麥積山石窟第22窟正壁。

坐佛肉髻光滑，額上有白毫，内着僧祇支，外披雙領下垂式袈裟，左手作與願印，右手作施無畏印。

坐佛

北周

位于甘肅天水市麥積山石窟第62窟正壁。

坐佛肉髻低平，内着僧祇支，外披雙領下垂式袈裟，衣結下垂，下衣擺垂覆座上。兩側爲脅侍菩薩，戴三珠寶冠，袒上身，挂長瓔珞，身繞帔帛，下束裙。

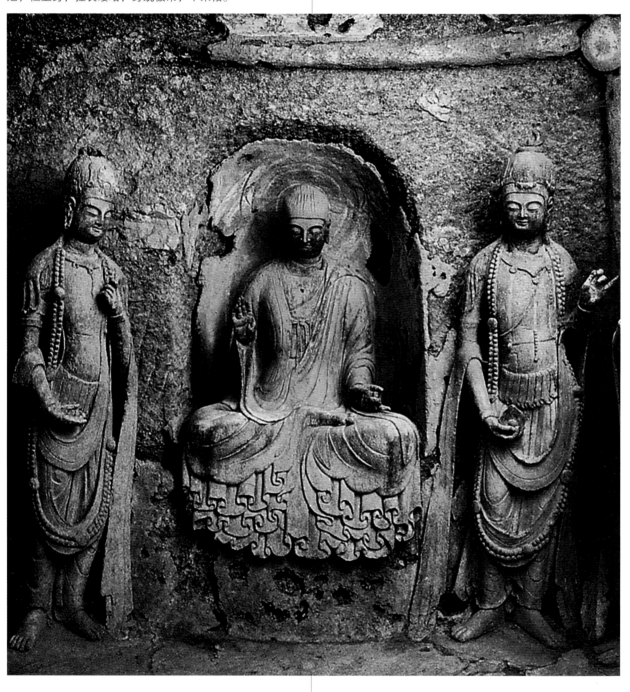

菩薩

北周

位于甘肅天水市麥積山石窟第62窟正壁、左壁。

左側菩薩戴三珠寶冠，挂瓔珞，繞帔帛，右手持寶珠；右側菩薩戴寶冠，兩手于腹前環抱。

倚坐佛

北周

位于甘肅天水市麥積山石窟第135窟。

坐佛肉髻低平，光滑；面相豐滿，内着僧祇支，外披袈裟。此圖爲局部。

菩薩

北周

出于甘肅天水市麥積山石窟第47窟。

菩薩頭戴寶冠，挂瓔珞，繞帔帛，赤足立于蓮臺上。

天神

北周

位于甘肅天水市麥積山石窟第4窟前廊正壁。
天神爲天龍八部衆之一，戴虎頭盔，身着鎧甲。

天神

北周

位于甘肅天水市麥積山石窟第4窟前廊正壁。

天神爲天龍八部衆之一，袒上身，戴項圈，繫巾，下束戰裙。

天神

北周

位于甘肅天水市麥積山石窟第4窟前廊正壁。

天神爲天龍八部衆之一，頭束髻，戴項圈，袒上身，下束戰裙，右手執金剛杵。

天神

北周

位于甘肅天水市麥積山石窟第4窟前廊正壁。

天神爲天龍八部衆之一，袒上身，戴項圈，下束戰裙，右手執錘。

力士

北周

位于甘肅天水市麥積山石窟第48窟兩龕之間。

力士頭髮上竪，張嘴瞪目，袒上身，繫披巾。

立佛 菩薩

隋

出于甘肅天水市麥積山石窟第98龕。

佛高1388厘米。

立佛螺髻，額上有白毫，頸刻三道紋，着通肩袈裟；菩薩戴寶冠，身繞帔帛，挂長瓔珞，臉較圓。

立佛局部

倚坐佛 菩薩

隋

位于甘肅天水市麥積山石窟第13龕。

佛高1600厘米，菩薩高約1300厘米。

主尊佛螺髻，面相方圓，内着僧祇支，外披袈裟，倚坐。兩脅侍菩薩服飾特點大致相同，均戴花冠，披帔帛，飾瓔珞，着長裙。

坐佛

隋

位于甘肅天水市麥積山石窟第5窟。

佛螺髻，面相方圓，眉間有白毫，身披通肩袈裟，神情莊重。此圖爲局部。

菩薩

隋

位于甘肅天水市麥積山石窟第12窟正壁左側。

菩薩戴蓮花寶冠，寶繒下垂，長髮披肩，身繞帔帛，挂長瓔珞，雙手捧一净瓶。

阿難

隋

位于甘肅天水市麥積山石窟第12窟前壁右側。

阿難内着僧祇支，外披百衲袈裟，上有聯珠等紋飾，背景爲捲雲紋。此圖爲局部。

菩薩

隋

位于甘肅天水市麥積山石窟第37龕右側。

菩薩戴寶冠，寶繒下垂至胸部，戴項圈、手鐲，身繞帔帛，雙手交于胸前。

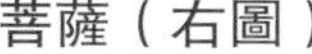

菩薩（右圖）

隋

位于甘肅天水市麥積山石窟第24窟右側。

菩薩不戴冠，短髮披覆，着僧祇支，衣結下垂，身繞帔帛，下束裙。

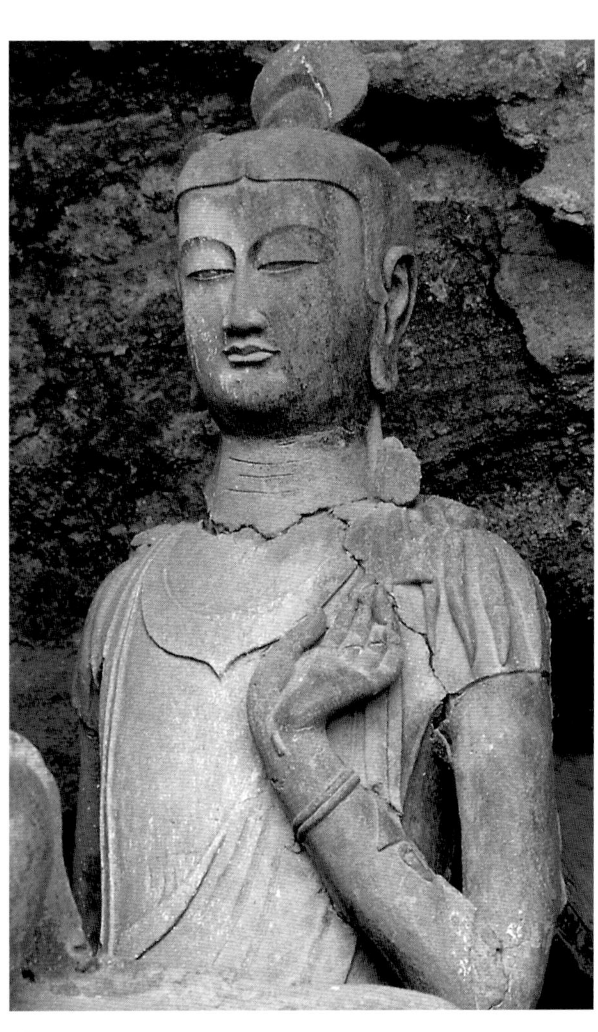

菩薩

隋

位于甘肅天水市麥積山石窟第78龕正壁右側。

菩薩束高髻，肩上有餅形飾，戴項圈，斜披絡腋。

羅睺羅

北宋

位于甘肅天水市麥積山石窟第133窟窟室前部。

羅睺羅波狀髮，額上有白毫，着袒右袈裟，雙手合十。

羅睺羅爲佛十大弟子之一，號“密行第一”。

力士

北宋

位于甘肅天水市麥積山石窟第4窟前廊左壁。

高450厘米。

力士束高髻，張嘴瞪目，袒上身，繞帔帛，下束戰裙。

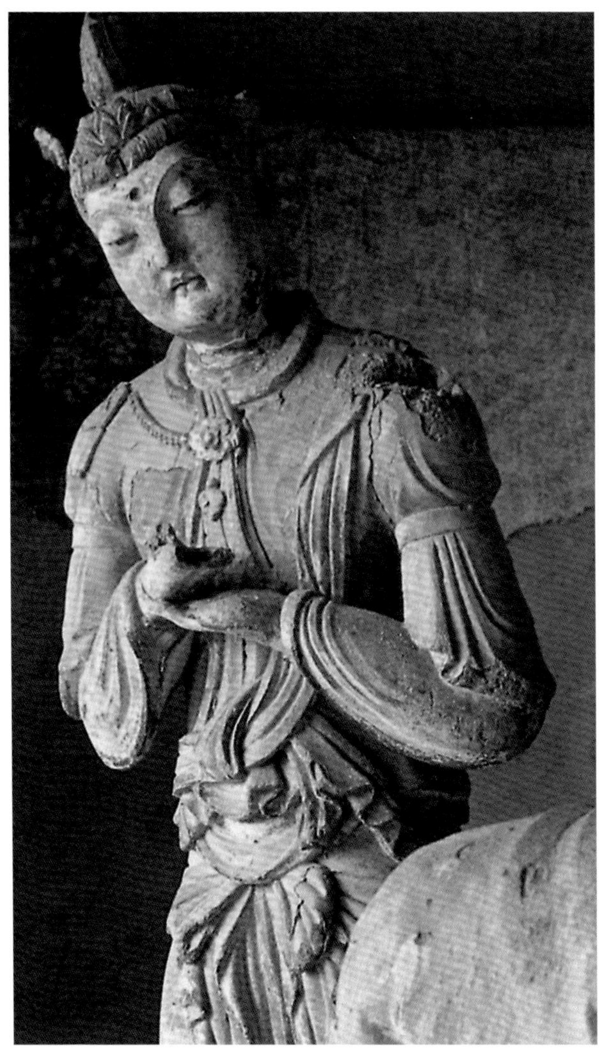

菩薩

北宋

位于甘肅天水市麥積山石窟第43窟龕内右側。

菩薩頭戴冠，斜披絡腋，穿窄袖圓領衫，臂束釧。

力士

北宋

位于甘肅天水市麥積山石窟第43窟。
此爲力士頭像，面相凶猛。

菩薩 侍者

北宋

位于甘肅天水市麥積山石窟第165窟右壁、正壁。

菩薩束錐狀髮髻，頸刻三道紋，身披寬袖長袍，下束裙襦。侍者頭戴釵，細眼小口，穿交領寬袖長袍。

觀世音菩薩

北宋

位于甘肅天水市麥積山石窟第165窟左壁。

觀音菩薩戴風帽，叉手而立。

阿難

北宋

位于甘肅天水市麥積山石窟第191龕龕内右側。

阿難額上有白毫，頸刻三道紋，内着僧衹支，外披袈裟。

獅子

北宋

位于甘肅天水市麥積山石窟第191龕龕下左側。

獅子大頭，鬃毛捲曲，張嘴瞪目，前爪按一球。

迦樓羅

北宋

位于甘肅天水市麥積山石窟第191龕龕下。

迦樓羅即爲金翅鳥，爲天龍八部之一。圖中迦樓羅鬈髮鬈鬚，雙目圓睁，爲西域胡人形象。

北石窟寺

北石窟寺位于甘肅慶陽市西峰區董志鄉寺溝村覆鐘山下。北魏永平二年（公元509年）涇州刺史奚康生所建，西魏、北周、唐歷代均有續建或重修。現存窟龕二百九十六個，石雕造像二千一百二十六身。

天王

北魏

位于甘肅慶陽市北石窟寺第165窟窟門外壁。

天王戴圓形尖頂頭盔，身着鎧甲。

立佛

北魏

位于甘肅慶陽市北石窟寺第165窟正壁。

佛面相略方，身材粗壯，着交領大衣，手作與願印和施無畏印。

二佛

北魏

位于甘肅慶陽市北石窟寺第165窟南壁。

佛高肉髻，眉間有白毫，褒衣博帶，右手作施無畏印，赤足而立，身軀肥胖。

飛天

北魏

位于甘肅慶陽市北石窟寺第165窟南壁西側。

飛天采用浮雕技法，袒身，戴項圈，帔帛上揚，作飛翔狀。

菩薩

北魏

位于甘肅慶陽市北石窟寺第165窟東壁。

菩薩圓形頭光，束髻，戴花冠，肩上有餅形飾，戴項圈，繞帔帛。

阿修羅天

北魏

位于甘肅慶陽市北石窟寺第165窟西壁門内北側。

阿修羅天爲佛護法之一，三頭四臂，手托日、月，執金剛杵。

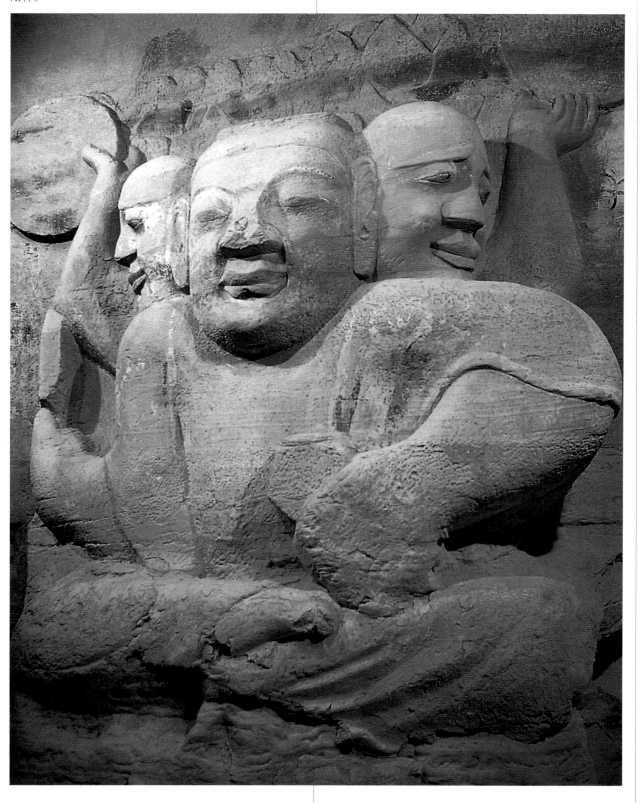

普賢菩薩

北魏

位于甘肅慶陽市北石窟寺第165窟西壁門内南側。

普賢菩薩圓形背光，肩上有餅形飾，戴項圈，搭帔帛，游戲坐于象背上；前方爲象奴，後方爲一阿羅漢，雙手托博山爐。

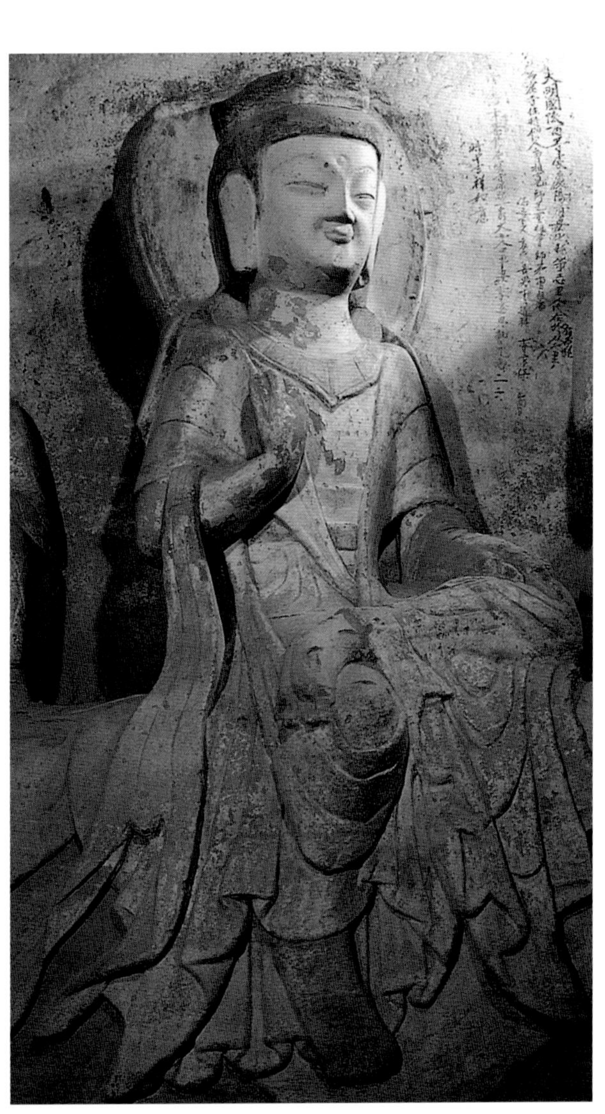

普賢菩薩局部

彌勒菩薩

北魏

位于甘肅慶陽市北石窟寺第165窟西壁門内南側。

彌勒菩薩交脚坐，戴項圈，身繞帔帛交于腹前環形飾上。

供養人

北魏

位于甘肅慶陽市北石窟寺第244窟北壁下方。

供養人穿交領寬袖長袍，左手托博山爐，後方爲隨從。

獨角獸

北魏

位于甘肅慶陽市北石窟寺第1窟中心柱北面下層龕楣外東側。

獨角獸瞪目齜牙，弓背，尾巴上揚。

坐佛

北周

位于甘肅慶陽市北石窟寺第240窟左壁。

佛着袈裟，衣襟垂于臺上。兩側菩薩頭束寶繒，結高髻，戴披巾或瓔珞。

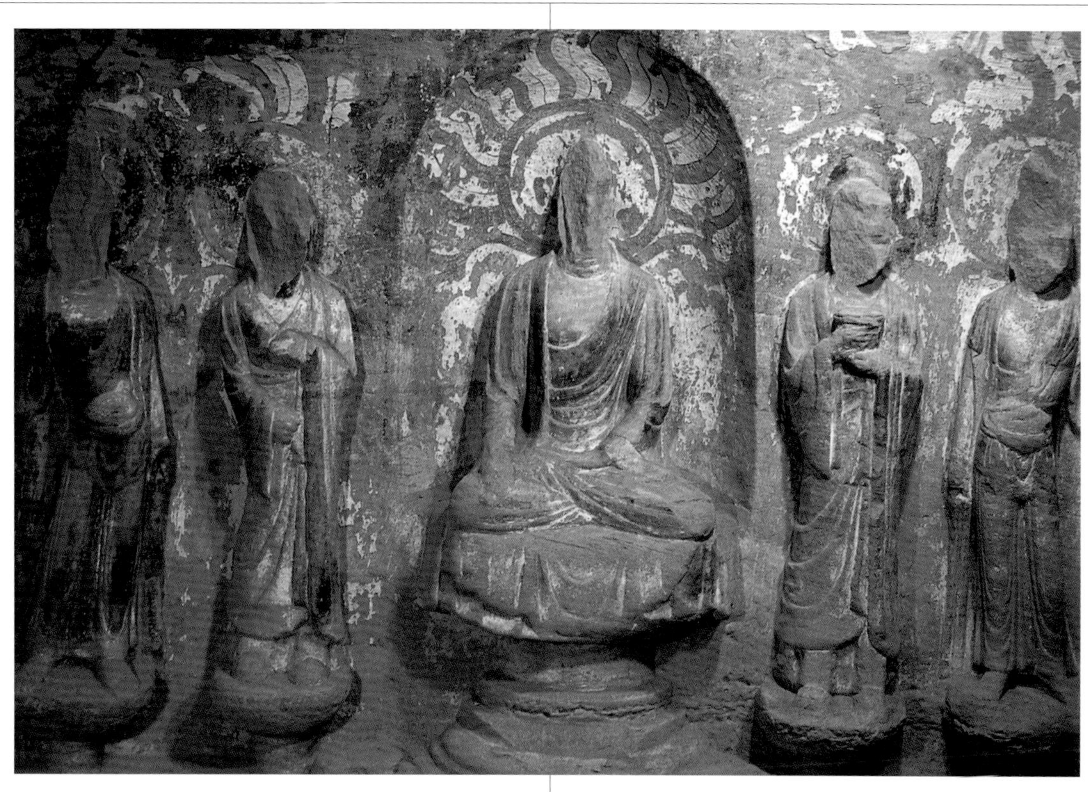

坐佛（上圖）

唐

位于甘肅慶陽市北石窟寺第222窟。

中間爲坐佛，兩旁爲二弟子和二菩薩。

坐佛

唐

位于甘肅慶陽市北石窟寺第222窟南壁。

坐佛高肉髻，着通肩袈裟，衣紋綫凸起，呈水波狀居中下垂。旁爲二弟子。

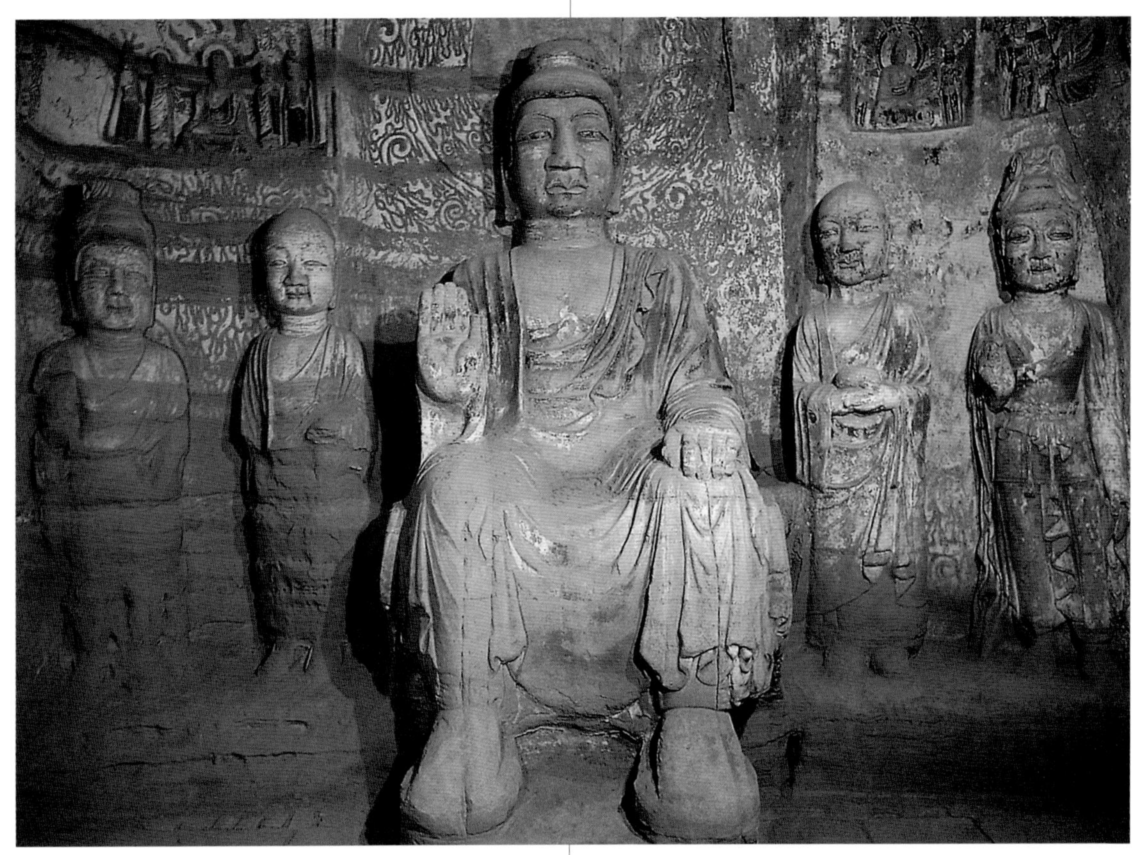

倚坐佛

唐

位于甘肅慶陽市北石窟寺第222窟東壁。佛倚坐，圓形頭光，高肉髻，外披袈裟，右手作施無畏印。兩側爲二弟子和二脅侍菩薩。

坐佛

唐

位于甘肅慶陽市北石窟寺第263窟東壁。坐佛高肉髻，面相豐滿，頸刻蠶節紋，内着僧祇支，外披袈裟，結跏趺坐。

弟子 菩薩

唐

位于甘肅慶陽市北石窟寺第263窟佛北側。

弟子圓形頭光，頸刻蠶節紋，身披袈裟；菩薩束髻，戴項圈，外披絡腋，下束裙，衣紋綫凸起。

南石窟寺

南石窟寺位于甘肅涇川縣涇河北岸。北魏永平三年（公元510年）涇州刺史奚康生所建，延至唐代，歷代續有營建。現存洞窟五個，爲石雕造像。

七佛

北魏

位于甘肅涇川縣南石窟寺第1窟。

高600厘米。

立佛七身，皆爲右手作施無畏印，左手握衣襟。此爲局部三身立佛。

立佛

北魏

位于甘肅涇川縣南石窟寺第1窟北壁東側。立佛高肉髻，右手作施無畏印。

佛傳故事（上圖）

北魏

位于甘肅涇川縣南石窟寺第1窟北壁頂部。

圖中表現宮中娛樂之佛傳故事。歇山頂屋宇内宫女在奏樂娛樂，以打消太子悉達多出家念頭。

佛傳故事

北魏

位于甘肅涇川縣南石窟寺第1窟窟頂北壁。

圖表示逾城出家之佛傳故事。悉達多太子騎于馬上，四天王捧馬足。天王作飛天狀，袒上身，繞帔帛。

拉梢寺

拉梢寺又名大佛崖，位于甘肅武山縣東北響水峽谷内鐘樓山下。北周秦州刺史尉遲迥于北周武成三年（公元559年）所建。龕像以崖面懸塑爲主。

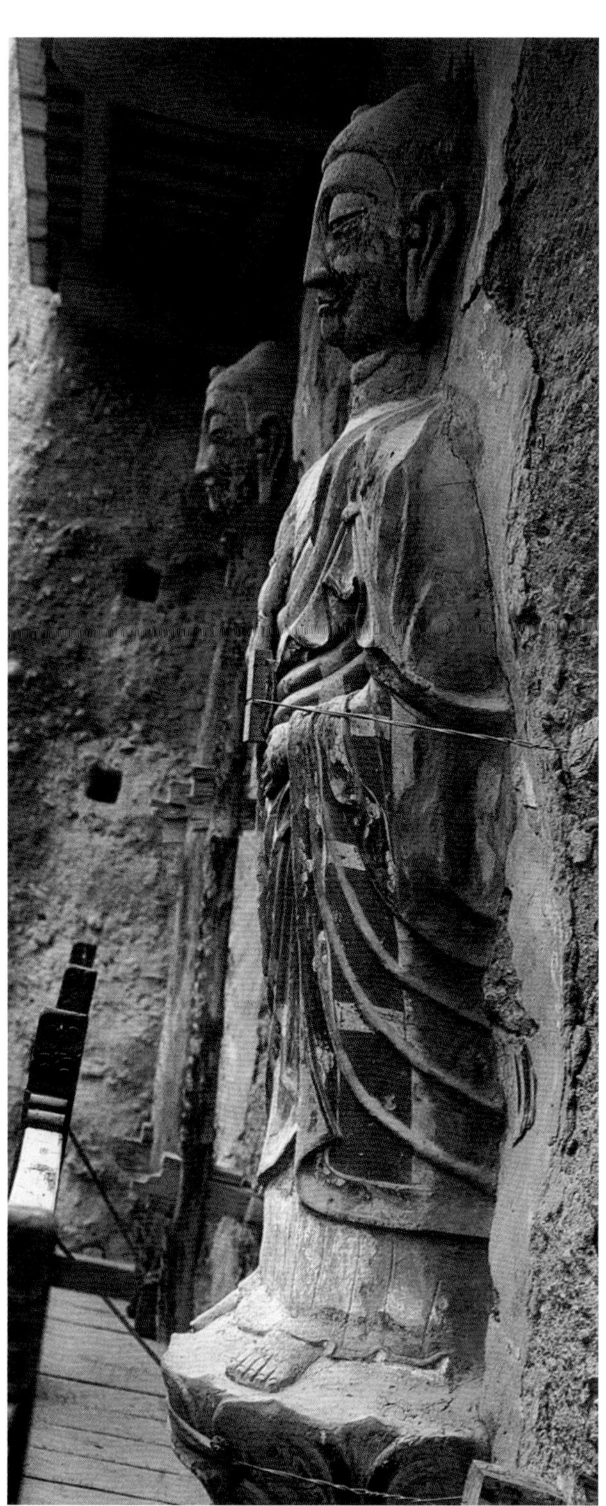

十佛像（左圖）

北周

位于甘肅武山縣拉梢寺。

立佛共十身。佛作低平肉髻，面相豐圓，雙眼微閉。

十佛像局部

坐佛

北周

位于甘肅武山縣拉梢寺。

通高4250、總寬4300厘米。

佛圓形頭光，肉髻低平，着通肩袈裟，衣紋綫呈水波狀居中下垂，結跏趺坐，手作禪定印。兩側菩薩頭戴冠，手執長莖蓮花。

浮雕瑞獸

北周

位于甘肅武山縣拉梢寺。

上部爲卧獅，張嘴，鬃毛捲曲；下部爲卧鹿，單角，神態温順。

立佛

北宋

位于甘肅武山縣拉梢寺佛座正中。

佛螺髻，眉間有白毫，頸刻三道紋，内着僧祇支，外披雙領下垂式袈裟；兩側爲脅侍菩薩。

立佛右脅侍菩薩頭像

大像山石窟

大像山石窟位于甘肅甘谷縣文旗山上。始建于唐，現有洞窟二十二個，多爲禪窟。石雕造像。

倚坐佛

唐

位于甘肅甘谷縣大像山石窟。

高2330厘米。

佛像石胎泥塑，倚坐于方座上，右手結説法印，左手撫膝，足踏蓮臺。

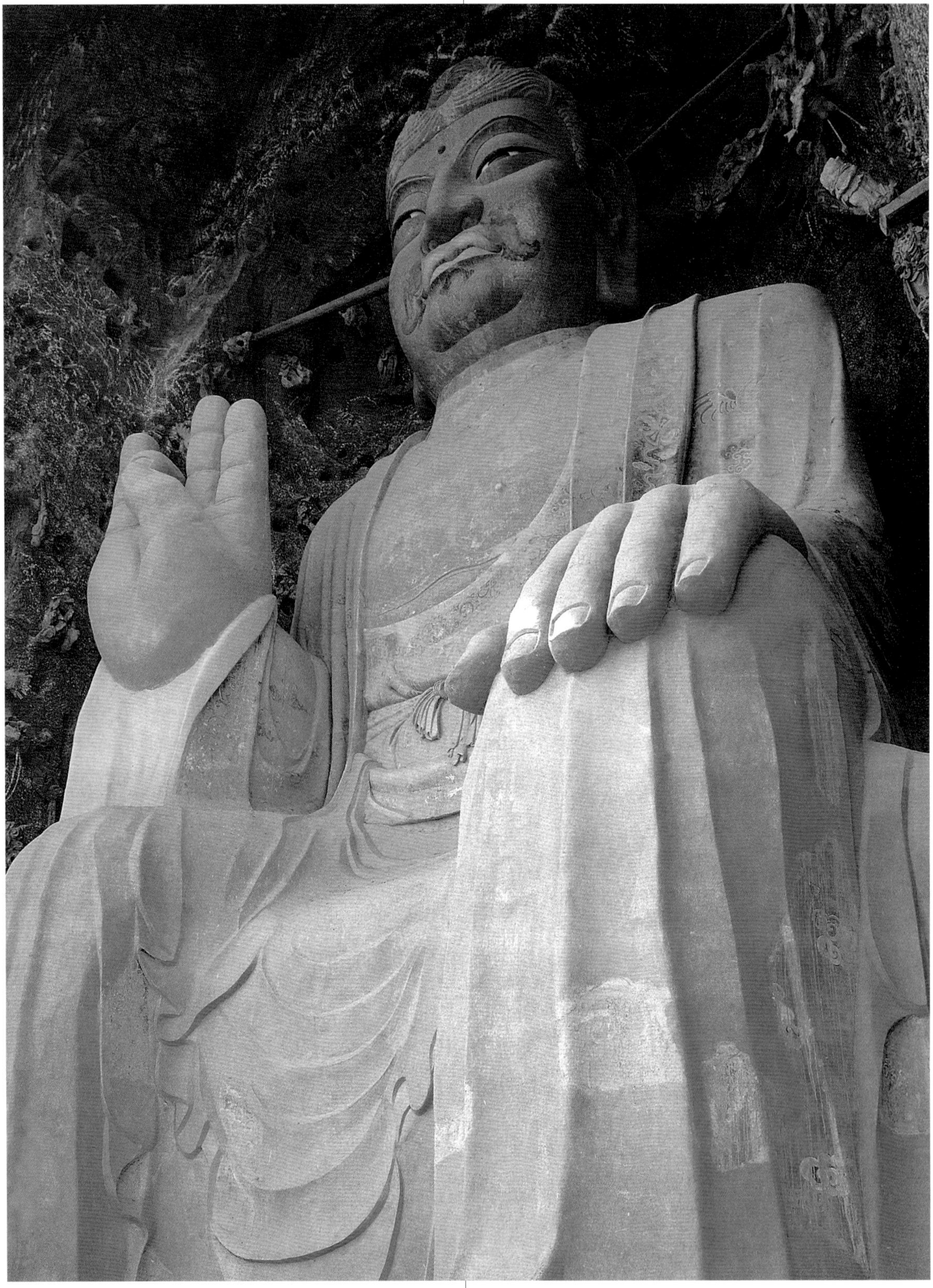